LA VIDA PRIVADA DEL EMPERADOR

Colección Novela Histórica

LA VIDA PRIVADA DEL
EMPERADOR

— • ◆ • —

Almudena de Arteaga del Alcázar

Ediciones Martínez Roca

Diseño cubierta: Compañía de Diseño

Foto: *Carlos V*, Bernardo van Orley (Museo de Bellas Artes
de Budapest)

Primera edición: mayo de 1999
Segunda edición: mayo de 1999
Tercera edición: junio de 1999
Cuarta edición: junio de 1999
Quinta edición: septiembre de 1999
Sexta edición: junio de 2000

© 1999, Almudena de Arteaga del Alcázar
© 1999, Ediciones Martínez Roca, S. A.
Provença, 260, 08008 Barcelona
ISBN 84-270-2471-1
Depósito legal B. 25.525-2000
Fotocomposición: Fort, S. A.
Impresión: A & M Gràfic, S. L.
Encuadernación: Argraf encuadernación, S. L.

Impreso en España – Printed in Spain

A mi hermano Íñigo y a José Ramón Fernández de Mesa, dos hombres capaces de impedir la zozobra de cualquier nave o persona.

NOTA DEL EDITOR

Mientras investigaba en el archivo de los Mendoza para escribir *La Princesa de Éboli,* Almudena de Arteaga encontró un gran número de folios, escritos en francés, dentro del legajo correspondiente a Mencía de Mendoza, antepasada suya contemporánea del emperador Carlos V. Intuyendo su valor, los separó con miras a un futuro libro sobre este Austria cuya realización habíamos convenido con anterioridad.

Cuál no sería su asombro cuando, ya manos a esta obra, descubrió que esos papeles eran nada menos que una biografía sobre el emperador escrita por su hermana, Leonor de Austria, mujer de Francisco I de Francia.

Después de una lectura atenta, en vistas a su edición, Arteaga reveló que, al menos respecto de un hecho, Leonor se aleja notablemente de la versión histórica. En su escrito, el rol jugado por su marido durante su estancia en casa de los Infantado, en Guadalajara, lo atribuye Leonor de Austria a su hermano, el emperador.

Dejemos a los psicólogos la explicación de este «transfert». Almudena de Arteaga, como historiadora, cumple con el deber de señalarlo, y yo con el trámite de editarlo.

ATTILIO LOCATELLI

CAPÍTULO UNO

Abrí la puerta y aquella escena me impresionó. En medio de la estancia se encontraba mi madre, rodeada de médicos y damas que daban vueltas y más vueltas. Hacía frío; sin embargo las gotas de sudor surcaban su frente. Llevaba el sayo bajo. Con las piernas abiertas, se hallaba sentada sobre una silla que apenas tenía base para apoyar sus nalgas.

Dos médicos miraban su entrepierna, rodeados de trapos empapados de sangre, heces y otros líquidos.

El hedor era penetrante.

En un instante todo cesó. Mi señora madre se relajó y quedó resoplando sobre aquel trono de tortura. Respiraba con tanta fuerza y abatimiento que todos quedaron a la espera. Entreabrió sus negros ojos.

Su chillido nos ensordeció.

Se tensó e impulsó hacia atrás, sobre el respaldo fino y largo, haciendo fuerza como si quisiera partirlo.

11

Una mujer que sujetaba la silla por detrás para que no se volcara le indicó que empujara, y un segundo después vi como si una pelota emergiera de sus partes.

El médico sujetó aquella cabeza y tras ella salió por fin el resto de mi hermano. Mi madre lo miró, vio que era varón y pidió que se lo entregaran.

Me acerqué a ella. Mi aya quiso alejarme pero mi madre, con una agotada mirada, me atrajo hacia sí.

Observé a Carlos.

Desde luego era un milagro, ¿cómo un vientre gordo podía transformarse en un recién nacido? Estaba aún ensangrentado y pegajoso. Sus ojos abultados y cerrados me parecieron deformes. Le toqué una mejilla y aquel diminuto ser movió su frágil cabeza.

A pesar de que ya no sería yo la más importante de la familia, le quise desde el mismo momento en que le vi.

Quizá un día Carlos fuera muy importante. Pero no se podía decir que había sido muy afortunado con sus padres. Mi madre, con sus languideces y huidas al mundo del silencio. Mi padre, provocando las postraciones de mi madre.

De los defectos de carácter de mis padres había tenido prueba una hora antes, cuando, escondida detrás de un cortinaje, buscaba a mi madre con la mirada.

Al final la había encontrado al fondo del gran salón del trono.

Estaba sentada, pues su vientre, a punto de parir, se hallaba ya tan abultado que no le permitía moverse con la agilidad que aquellas danzas requerían.

No apartaba la vista de mi padre, que bailaba con una bella joven, voluptuosa y poco recatada.

Aquella mujer no se limitaba simplemente a danzar, sino que aprovechaba cualquier cruce obligado en el baile para acercársele en demasía, tratando de que sus exuberantes pechos rozaran el torso de su pareja.

De pronto la melodía había cesado, para dar paso a otra más movida. En ese momento mi padre llamó a uno de sus sirvientes y le dijo algo al oído. El fámulo se dirigió a mi madre, distrayendo su atención por un segundo. Instante que aprovechó mi progenitor para coger de la mano a la dama y dirigirse corriendo justo hacia donde yo me encontraba.

Se detuvo a mi lado pero no me descubrió.

Quedé perpleja cuando me percaté de que soltaba la mano de su acompañante para tomarla de la cintura, y luego de besarla, ordenarle que le siguiera.

Han pasado muchos años desde que presencié aquella escena pero la recuerdo como si de ayer se tratase. Entonces no entendía del todo la aflicción que cada vez más a menudo embargaba a mi madre. Con el tiempo habría de sentir en mis entrañas el hachazo de la infidelidad sobre mi orgullo y entonces me sentí unida a ella no como hija sino como mujer.

Aquel pedazo de bella carne con desmesurados atributos femeninos, tan falta de cerebro había de andar como sobrada de éstos. Para nada le importaba que mi madre en fecha de parir estuviese.

Triste vi como los amantes se alejaban.

Por temor a ser descubierta, a pesar de que estuve tentada, no les seguí.

Preferí continuar en mi escondite, observando.

Mi madre alzó la vista levantándose y, de inmediato, sus ojos negros y ligeramente rasgados comenzaron a buscar de nuevo a mi padre con desesperación. Su mandíbula se apretó junto a sus puños. Algo iba a decir, cuando de su boca escapó un grito incontrolado acompañado de una mueca de dolor.

El silencio se hizo en torno a ella.

Todos la penetraron con la mirada.

Sin duda la desaparición de mi padre, que tan discreta había resultado, estaba en la mente de todos los presentes; no debía de ser la primera vez que ocurría.

En cualquier caso, recuerdo con claridad que madre, demudada, se quedó mirando a los presentes. Luego se inclinó, se sujetó el abultado vientre y se sentó de nuevo, abatida.

El dolor de su rostro no era provocado por los celos, sino por aquella criatura que estaba a punto de llegar al mundo. Sus damas se precipitaron sobre ella, llevándosela contra su voluntad, mientras llamaba a su marido desesperadamente.

En cuanto salió de la sala, la música sonó de nuevo y todos los que allí quedaban siguieron impasibles como si nada hubiese ocurrido. Aquellos que sólo un momento antes había considerado personajes de una novela de caballería, me parecieron de pronto frívolos y banales.

La estancia parecía otra; sin darme cuenta todos los restos del parto habían desaparecido. Las sirvientas habían fregado el suelo y limpiado flujos y sustancias que de mi madre habían salido. En el pasillo aguardaban muchos cortesanos y el murmullo de sus voces llegaba al interior del aposento.

Aseada y limpia, engalanada con una camisa de noche cuajada de bordados, el cabello ya recogido sobre la nuca, madre preguntó:

–¿Quién aguarda?

–Todos menos quien suponéis –respondió una de sus damas–. Figuraos si hay gentes extrañas atisbando que hasta un astrólogo quiere veros.

–Por favor, decid que lo hagan pasar. A los demás que los despidan. Muy mal estaría que viesen al niño antes de que los de su sangre lo reconozcan. Además, no estoy de humor para soportar cuchicheos.

–Es el más ducho en sus artes que hay en Gante y sin duda os esclarecerá lo que le depara el futuro –dijo la dama, traicionando que había sido ella quien lo mandó llamar.

Cuando aquel hombre entró, madre le indicó que no perdiera el tiempo en protocolos y comenzara con el horóscopo del recién nacido.

–Su Alteza, no he tenido mucho tiempo para deducir

conforme a las estrellas el futuro que aguarda a vuestro hijo.

La voz resonó en la habitación ante el silencio que se hizo para escucharle.

—Sin embargo, os puedo asegurar que hoy, veinticuatro de febrero, los astros están muy bien situados. Como todo Piscis, vuestro hijo será tímido e introvertido. El temor a la equivocación es posible que le haga dubitativo e influenciable, pero lo superará, y es seguro que se convertirá en un gran luchador. Defenderá sus principios e intereses con la justicia debida y será recompensado, pues llegará a reinar sobre los dominios más grandes que ningún otro rey haya poseído jamás. Pero, aunque siempre querrá ser más amado que temido, deberá hacer mucho uso de las armas. Y sufrirá por ello.

De pronto, las campanas comenzaron a repicar, anunciando el nacimiento. La puerta se abrió e hizo su entrada mi tía Margarita. Mientras el astrólogo daba unos pasos atrás para cederle protagonismo, la hermana de mi padre se acercó a nosotros y miró al recién nacido con ternura, como si nadie la observase.

—Espero que os sintáis orgullosa; es hermoso y sin duda hijo de Felipe —dijo a su cuñada.

Mi madre se incorporó.

Aquella mirada rastreadora que destacaba en su faz la noche anterior, despertó de nuevo.

Margarita se dio cuenta y sin decir nada salió de la estancia.

Poco después volvió a entrar con mi padre, que iba a medio vestir y con los cabellos revueltos.

Padre se acercó al lecho y con delicadeza me apartó para que le dejara mi sitio. Con cariño miró a mi señora madre, y le dio las gracias por haberle dado un hijo varón.

Ella, que hasta hacía poco estaba serena, cambió totalmente la expresión, mostrándole su desprecio y abstrayéndose de todo.

Margarita agarró a su hermano del brazo y se lo llevó de la estancia.

Mientras desde fuera llegaban los más desagradables insultos empecé a acariciar la mano de mi madre, que en sólo unos instantes había regresado con nosotros. Aunque la alegría de sus ojos había desaparecido, empañándose, las lágrimas no llegaron a surgir de ellos.

La abstracción en la que se sumió entonces quizá fue fingida, pero era el preludio de las que en un futuro tendríamos ocasión de ver y sentir en nuestros corazones.

Cuando me quise dar cuenta los tres nos habíamos quedado solos. Los sirvientes y las damas se habían retirado de la habitación sin hacerse notar.

Carlos empezó a llorar. Pero mi madre seguía tan abstraída que ni se dio cuenta de que su hijo tenía hambre, y cuando le dije unas palabras no me escuchó.

Carlos chillaba ahora como un animalillo indefenso.

Me acerqué a la cuna y lo cogí en brazos.

Su llanto disminuyó.

Le toqué con suavidad los labios y eso pareció gustarle.

Sin pensarlo, le metí un dedo en la boca.

Mi hermano empezó a apretarlo con sus encías, ahora totalmente calmado.

CAPÍTULO DOS

Muchas veces, durante la infancia y los primeros años de adolescencia de mi hermano, pensé que era como si las palabras del astrólogo hubieran contado sólo la mitad en lo que hacía a su carácter.

Porque Carlos era de temperamento suave y condescendiente... siempre y cuando los demás hicieran lo que él deseaba. En cuanto a su idealismo, era cierto que apenas aprendió a leer comenzó a soñar con torneos de caballeros y rescate de damas, como más tarde, ya emperador, ansió de verdad proteger a toda la Europa cristiana. Pero había momentos en que su sentido práctico de las cosas era tan acusado, que hasta tía Margarita, el personaje más racional y metódico de nuestra familia, se quedaba sorprendida.

Se podía decir que era una mezcla de opuestos.

Melancólico como un germano, por momentos era vital y bromista como un auténtico flamenco. Sin embargo, sus mejores amigos eran capaces de perdonarle casi todo.

Yo misma sucumbía, con frecuencia, a ese estilo seductor que utilizaba para conseguir algo cuando le interesaba. Y no hablemos de mis hermanas más pequeñas, Isabel y María, que lo adoraban.

Los constantes viajes de nuestros padres a España y sus correspondientes ausencias habían hecho que los Austrias que vivíamos en Flandes formásemos una piña con él.

La desaparición de un primo meridional, heredero de los reinos del sur, había puesto a mi madre primera en la línea de sucesión. Lo cual, a la vez que hacía de Carlos el potencial rey de aquellos calurosos dominios, procuraba a mis padres, que velaban por su porvenir, continuos y largos viajes.

Naturalmente, existía un inconveniente (ningún camino al trono está libre de ellos).

El problema para que el regio destino de Carlos se cumpliera, radicaba en la existencia de un hermano nuestro nacido en España que parecía ser el favorito de nuestros abuelos españoles.

Sobre todo del abuelo Fernando, el astuto e inteligente monarca de quien llevaba el nombre.

Pero también los grandes señores de aquellas tierras veían con buen ojo al pequeño Fernando para el trono. Criado en España, era considerado por su gente como uno de los suyos, aunque por sangre fuera tan Austria como nosotros.

Lo peor era que, a Carlos, llegar a ser rey parecía traerle sin cuidado.

Las únicas que tomábamos el asunto más en serio éramos tía Margarita y yo.

Muchas veces habíamos abordado el argumento, buscando su implicación, con nuestras mejores artes.

Pero nada.

Carlos seguía encerrado en sus partidas de caza en los bosques cercanos al nuevo castillo de Malines, que tía Margarita había hecho construir para facilitar su educación; en torneos y justas cuando no en la salvación de legendarias princesas.

Hasta que al cumplir diecisiete años aconteció algo que hizo que el destino anunciado por el astrólogo se manifestara. Y como en los libros que a él tanto le gustaban, ocurrió debido al comportamiento, no menos caprichoso que el de las estrellas, de una mujer.

Tres golpes secos y apresurados sonaron en mi puerta, que se abrió de golpe.

Carlos me agarró y tiró de mí para que lo acompañara.

—Daos prisa, quiero que descubráis y admiréis antes que nadie la sorpresa que a todos he preparado.

Estaba realmente excitado. Nunca se había preocupado por la puntualidad pero esta vez no quería retrasarse ni un solo segundo.

Me llevó corriendo por el pasillo.

Al llegar frente a un gran repostero frenó en seco para mirar tras él.

El bulto de su figura tras el tapiz se movía con rapidez en busca de algo.

–No seréis capaz de mostrarme pestilentes restos.

–¿Cómo podéis ni siquiera suponer que ando buscando esas cosas? –dijo, asomando la cabeza con expresión burlona–. Os aseguro que mi sorpresa no se asemeja en nada a lo que estáis pensando.

–Guiadme, pues.

Me besó en la frente y me tapó los ojos.

Cuando pude ver de nuevo nos encontrábamos en medio de ¡un inmenso anfiteatro romano! Era magnífico: suelos, capiteles y columnas parecían tan reales como los de piedra auténtica.

Debí de quedar boquiabierta porque Carlos me zarandeó.

–Leonor, decidme, ¿qué os parece?

Giré sobre mí misma observándolo todo y me detuve ante una de las monumentales estatuas que nos rodeaban.

Ante mi silencio, no pudo resistir.

–Sé que vos y tía Margarita me reprocháis que no haga caso a mis maestros de historia, y que en materia de libros prefiera *La chanson de Roland* a la gramática latina... o española. Pero más os sorprenderá ver la representación que aquí tendrá lugar cuando lleguen mis invitados.

»Mi héroe preferido luchará contra piratas y moriscos. Los gigantes y los demonios atribuirán poderes mágicos a nuestro Caballero y lo ayudarán a conquistar muchos estados lejanos y a ganar victorias. ¡Nuestros amigos quedarán encantados!

Y así fue.

El espectáculo a todos asombró y gustó. Menos a Claudia de Orange, claro, a quien, si mal no recuerdo, molestó «la falta de recato del personaje que representaba a Venus».

Claudia era una lejana prima nuestra, ni demasiado importante como para hacer un buen matrimonio, ni demasiado rica como para solucionar su futuro por vía del interés. Pero muy guapa. Tres elementos que la volvían «frágil» y que hicieron mella sobre la sensibilidad de Carlos, el cual parecía sentir una especial debilidad por aquellas personas puestas en posición «injusta» por la vida, sobre todo cuando la belleza no faltaba.

Para mí, en cambio, había algo en ella que nunca acababa de convencer. Quizá la forma en que siempre quería estar cerca de los hombres. Como si nosotras, las mujeres, apestáramos.

Así que apenas acabada su crítica, le dije:

—Si en lugar de mirar tanto a los italianos escucharas lo que cuentan, te habrías enterado de que en Florencia y en Roma se permiten estas y otras más atrevidas sinuosidades, basándose en el estudio del cuerpo. Más les importan las líneas de los miembros que los pliegues de los tejidos.

—Es verdad —dijo Carlos, dirigiendo a Claudia una sonrisa que me pareció toda una provocación.

Inclinándose hacia ella y bajando el tono de voz, pero no lo suficiente, agregó:

—Porque de la piel nadie se puede librar y en cambio muy fácil es desprenderse de máscaras y ropajes.

Todos rieron, menos Enrique de Nassau, el chambelán de mi hermano.

Es probable que se debiera a que era mucho mayor que nosotros.

Claudia hizo una reverencia a Carlos y dando media vuelta hizo el gesto de marcharse.

Todos la insultaron. Unos en francés, otros en castellano, Sforza lo hizo en italiano, e incluso yo lo hice en latín.

Tras una mueca de disgusto, Carlos dijo en flamenco:

—Vamos, amigos, sé que todos provenimos de distintos lugares, pero en este mi día preferiría que olvidarais vuestras raíces.

No pude contenerme y repliqué:

—Bien sabéis que las mofas connotan más, dependiendo de la lengua en que se pronuncien. Si os preocuparais en aprenderlas todas, en vez de en imaginar coronas sobre vuestras sienes y victorias en vuestras soñadas batallas, no tendríais estos problemas. ¡Quién sabe si algún día necesitaréis del latín para hablar con el Sumo Pontífice!

Carlos me miró enojado.

Sabía que había herido su orgullo, pero no me importó. Que cortejara tan abiertamente a la estúpida Claudia me tenía sin cuidado. Lo que importaba era que sus tutores en lenguas, y también los de historia y otras materias, se pasaban más tiempo buscándole que enseñándole.

Cierto es que los maestros españoles que el abuelo Fernando había enviado eran unos hombres tremendamente anticuados, además de críticos sobre la escasa capacidad de mi hermano para ser un buen gobernante. Tanto, que si no se les hubiese frenado a tiempo habrían encontrado cómplices en nuestra corte.

Abstraída en estas consideraciones no me di cuenta de que las velas que iluminaban la estancia se habían apagado, hasta que un tambor comenzó a sonar y una de las inmensas esculturas que nos rodeaban empezó a inclinarse hacia nosotros.

En un segundo, un líquido espeso y pegajoso de color marrón empezó a esparcirse en forma de lluvia por toda la sala. Las primeras afectadas fueron Claudia y sus compinches. Sus hermosos vestidos de telas de vivos colores se convirtieron en feos y oscuros ropajes, y sus cuidados cabellos rubios ennegrecieron como los de las turcas.

Pero yo apenas pude sonreír porque enseguida algo comenzó a crujir, y una lluvia de plumas y más plumas en forma de inmensa nube empezó a caer de la estatua debajo de la cual nos habíamos refugiado.

Cuando salí de ese cúmulo de sensaciones que de improviso habían hecho mella en mí, me encontraba fuertemente aferrada a Enrique de Nassau.

De pronto, la puerta se abrió.

Tía Margarita, acompañada de un hombre alto y delgado, entró en el salón.

Su expresión nos dejó helados.

Sin siquiera pronunciar palabra consiguió el silencio que ansiaba.

Enrique me alejó de sí y sólo nuestras manos quedaron unidas, sin advertirlo.

Tía Margarita avanzó lentamente, dirigiéndose hacia donde estaba Carlos. Al pasar junto a mí alargó su brazo y de un fuerte mandoble separó mi mano de la de Enrique.

–Sobrino, os dije que podríais preparar solo y a voluntad estos festejos, confiando en vuestra madurez. Sin embargo, mirad lo que habéis hecho. Ya no sé si os merecéis mi regalo.

Sforza se adelantó.

–Señora, os lo ruego, no culpéis a Don Carlos. El único responsable de tan gran desbarajuste lo hallaréis en mi persona. Sólo he querido sorprender a mi amigo con el último hallazgo de un pintor florentino, mejor dicho, de Vinci, un inventor osado que embelesa a toda la corte del duque de Milán, mi augusto tío.

Tía Margarita aceptó las disculpas del italiano con una sonrisa. Luego, acercándose a mí, susurró:

–No os confiéis, pues con vos no he terminado.

Seguida del hombre con el que había entrado, se dirigió hacia la puerta.

Carlos, completamente cubierto de plumas, le dijo:

–¿Es que os vais a retirar así, sin darme el regalo?

Tía Margarita dirigió una severa mirada hacia todos nosotros. Dudó un instante. Luego, hizo un gesto a su acompañante.

En un principio pensé que se debía de tratar de un peregrino, pues portaba un báculo para apoyarse.

Después de saludar con una ceremonial reverencia a mi tía, el hombre dijo:

–Señora, os agradezco me tengáis en tan alto aprecio y confiéis en mis humildes predicciones.

Aquel extraño me resultaba vagamente conocido, pero no lograba saber de qué.

Se dirigió a Carlos.

–Vuestra tía me ordenó que estudiara la posición de los astros en el mismo minuto en que nacisteis y, si fuese posible, lo que éstos dicen de vuestra vida presente y futura. ¿Tengo vuestro permiso para decir tanto lo bueno como lo malo?

Carlos pareció dudarlo un instante. Luego, con voz poco segura, dijo:

–Lo tenéis.

El astrólogo comenzó.

–He podido leer en las estrellas que a vuestro natural os gusta asesorarse antes de tomar una determinación y escuchar a vuestros consejeros, aunque siempre os guardáis muy mucho de tomar solo la última decisión. No os preocupa la responsabilidad; es más, lucharéis por lo que creéis vuestro durante toda la vida con valor y gran espíritu. El orgullo os llevará a situaciones límite, pero venceréis en todos vuestros propósitos.

»Sois hombre de palabra, y como tal, si alguien os defrauda o miente no dudaréis en darle escarmiento merecido por muy desmedido que parezca o por muy notable que sea vuestro opositor. Os digo esto porque vuestros sueños de guerra se harán realidad y llegaréis a enfrentaros con personas de tan alta calidad como nadie osó hacerlo antes que vos.

»La justicia os acompañará, pero cuando gobernéis os sentiréis atado por dos fuertes cuerdas que tirarán de vos de un lado y del otro, como si cada uno de sus extremos os quisiera únicamente para sí.

Los murmullos invadieron la sala; a este punto, yo ya había reconocido al astrólogo.

Era el mismo que había sido conducido a palacio cuando el nacimiento de Carlos.

Hasta donde yo podía recordar, en líneas generales, cada cosa augurada por él se había cumplido.

El hombre aguardaba callado.

Carlos se mantenía de pie en postura altanera.

Se pavoneaba ante todos de su destino.

La curiosidad venció mis buenas maneras y no pude contener mi lengua:

—Aclaradme, señor, vuestras palabras. Habéis dicho hace un momento que mi hermano se sentirá tirado por dos grandes fuerzas, aparentemente contradictorias. ¿Podría tratarse de los lazos de la sangre y los del deber?

Fernando era también mi hermano. Pero Carlos no sólo era mi preferido, también era el mayor de los varones.

A veces temía que su aparente debilidad le jugase una mala pasada.

El astrólogo, que también debía de saber algo de política, comprendió el quid de la cuestión. Tanto, que con menos osadía que antes respondió:

—Los astros indican rasgos difuminados de lo que puede ser una vida. Es una ciencia bastante exacta, pero muy a mi pesar no hablan de lo que vos pedís. Siento no poder agradaros en eso. Algo sí he visto muy claro. Un hombre de apariencia insignificante le hará sudar sangre en defensa de nuestra religión, y lo más curioso es que no es moro ni turco.

Carlos, pegando un puñetazo en la mesa, gritó:

—¡Le aplastaré con mi ejército!

—¿Y respecto al amor? —preguntó Claudia.

Pero apenas dichas estas palabras, sufrió un vahído.

A la hora de la cena toda la corte comentaba que la «recatada» Orange estaba embarazada.

CAPÍTULO TRES

Recostada en mi lecho, intentaba hacer acto de contrición. Lo hacía todos los días antes de dormirme, pues me ayudaba a mejor conciliar el sueño.

Pero aquella noche me costaba dormirme.

Por una parte me preocupaba la actitud de tía Margarita respecto de Enrique. Su prometida represalia no había llegado.

Pero no por falta de voluntad.

El supuesto embarazo de Claudia de Orange parecía haberlo trastocado todo.

El resto de la noche había transcurrido en un *crescendo* de rumores, malentendidos y discusiones. La más importante, la de mi tía y Chièvres, el preceptor de Carlos, al que ella reprochó ser demasiado condescendiente con mi hermano.

—¡A vos place permitirle salir de cacería en lugar de

obligarle a ocuparse de sus estudios! –recuerdo que le gritó, en una de las pocas ocasiones en que vi a mi tía perder completamente los estribos.

En ausencia de nuestros padres, tía Margarita había procurado educarnos lo mejor posible. Y hasta había sido dura y perseverante en sus castigos, porque la falta de interés de Carlos la enervaba.

Pero esta vez su enfado estaba más que justificado.

–*Ragione di stato* –había sido el sibilino comentario de Sforza a la situación.

No estaba claro que el escandalizado español que había extendido el rumor, asegurando además que nuestra abuela Isabel «dormía rodeada de cinco damas para dar muestras de su virtud», lo hubiera entendido. Pero podíamos jugarnos los reinos del sur que la propaganda contra Carlos, y a favor de Fernando, habría hecho correr en España el rumor de que mi hermano se educaba en «una especie de Babilonia».

La puerta se abrió repentinamente y tía Margarita apareció, esta vez con expresión apacible.

Tras ella venía Carlos.

Ambos se sentaron a los pies de mi lecho.

Quedé sorprendida. Aquella inesperada visita nocturna era de lo más inusual. Sin lugar a dudas algo habían de decirme, y si no se podía esperar es que era realmente importante.

Tía Margarita habló primero.

–Leonor, sabéis que os he tratado siempre como a los hijos que no conseguí tener. Inconscientemente os adopté, pues tan faltos de afecto os vi desde vuestra infancia que no lo pude eludir.

»Cuando a España partieron vuestros padres, me quedó más libertad para dirigiros a mi antojo y buen arbitrio, y si alguna vez me habéis odiado por mi dureza os puedo asegurar que más me afligía a mí propinaros castigos que a vuestras mercedes recibirlos; pero eran necesarios para vuestra correcta instrucción.

Su calmado y delicado hablar denotaba la sinceridad más absoluta. No hacía ninguna falta que me lo dijera, todos la amábamos filialmente. La noticia de la muerte de nuestro padre apenas nos había afectado. En cuanto a mi madre, sabíamos que vivía con su última hija, tenida en España, y de ello nos enterábamos por medio de despachos diplomáticos. Pero si un día tía Margarita desaparecía, la echaríamos tremendamente en falta.

Miré a Carlos; parecía sumamente abatido.

Cabizbajo, jugaba con los flecos de mi colcha, ausente de la conversación

¿O simulaba no querer escuchar?

Sospeché.

Esa actitud en él indicaba normalmente un problema ineludible que en nada le agradaba.

–Acabo de recibir un mensajero de España... –dijo al fin tía Margarita–. Vuestro abuelo Fernando ha muerto sin descendencia de su segunda mujer. Una buena parte de Aragón y Castilla implora a gritos la presencia de un sucesor cabal para complementar su gobierno junto a vuestra madre, que, como bien sabéis, lleva años encerrada y aislada de este mundo.

—¡No es cierto! —gritó Carlos—. Todos los que allí moran desean más a nuestro hermano Fernando que a mí. Es verdad que nuestros embajadores consiguieron que el abuelo Fernando modificara su testamento en mi favor. Pero a mí, ¿quién me preguntó? Decídselo vos, Leonor. Pregonad, tanto a Chièvres como a los demás, cuál es mi parecer al respecto, pues yo me enfrento a un muro infranqueable.

Comprendí que tía Margarita me había traído en bandeja a mi hermano menor para que le hiciese ver con claridad cuál era su función y obligación.

No sé aún por qué quiso descargar ese peso sobre mi espalda, pero lo acepté.

Cogí a Carlos de los hombros y con toda la ternura que fui capaz de expresar, le hablé.

—No os ofusquéis, bien sabéis que es lo debido. Ahora sois rey de verdad, sólo os falta que os juren. Todos se rendirán ante vos, tendréis grandes ejércitos a vuestras órdenes y a los más inteligentes caballeros. Los juegos y divertimientos serán menores, es cierto, pero no incompatibles con vuestras obligaciones. Y cuando maduréis, sabréis cómo gobernar con justicia e intuición.

—No mintáis vos también —respondió Carlos—. Habláis como una de esas novelas de caballería que nunca os han gustado. Pensé que me queríais. Pero me doy cuenta de que sólo el viejo Chièvres me entiende.

Y diciendo esto salió corriendo de mi estancia.

Aún le quedaba mucho por aprender a dominar esos cambios de humor tan acentuados.

Del todo tranquila, tía Margarita me miró.

—Sabía que no lo conseguiríamos por las buenas, pues es muy tozudo. Pero así ha de hacerse. Deberá marchar. Mas, como sabéis, no me fío de Chièvres, y en cuanto a Cisneros, el regente actual, seguro que hará que los primeros pasos de mi sobrino sean torcidos. Por ello he decidido que lo acompañéis.

—¡Enrique! —exclamé.

Tía Margarita frunció el ceño.

—Me sorprendéis, Leonor. El conde es hombre digno pero no de vuestra talla, en absoluto.

Permaneció un segundo en silencio y poniéndose en pie me lanzó aquella flecha envenenada y ardiente.

—Además, se desposará con Claudia de Orange la semana que viene.

Cuando quedé sola me prometí que nunca más soñaría con imposibles. Me sometería a Carlos con la misma fuerza que una monja de clausura se entrega a las reglas de su congregación y a su matrimonio con Dios. No me apegaría nunca más a nadie y procuraría cerrar mi alma y abrir mi cerebro, pues la prudencia no suelta las bridas de los sentimientos y está menos desvalida ante el dolor.

Por supuesto, de la promesa de una mujer muy joven se trataba, pero aunque en el futuro me desvié muchas veces de ella, en líneas generales, la cumplí.

Obligada a los preparativos de nuestra marcha al sur, en los días siguientes la desilusión se había ido adormeciendo, hasta que, ¿al azar?, un miembro de la corte se encargó de echar sal en la herida.

Según su comentario, la orden de que Enrique se casara con Claudia de Orange había sido dada por mi hermano.

CAPÍTULO CUATRO

Las aguas estaban quietas. Habíamos salido de Flandes hacía diez días. No faltaba mucho para llegar. ¿Qué nos esperaba? Estaba cansada y a pesar de que la mar estaba reposada, me sentía ligeramente mareada. Apoyada en la regala mi mirada se perdía en la oscuridad. Por un momento mi mente había vuelto de nuevo a Enrique.

Al principio, su precipitado matrimonio con Claudia de Orange me había dolido menos que el creerlo producto de una venganza de Carlos por tener que marchar a España.

Tras escuchar como mi hermano argumentaba una serie de razones sustancialmente parecidas a las de tía Margarita, es decir que los miembros de casas reales y en especial los Austrias debíamos unirnos siempre a gente de la más alta condición, Carlos logró convencerme de que la decisión había sido tomada una hora antes de conocer la muerte de nuestro abuelo Fernando, que le obligaba a marchar a España.

En cuanto a su «decisión» de partir rumbo al sur no había sido nada fácil convencerlo.

Como conde de Flandes había llevado hasta ahora una vida alegre y nada sosegada. Los dominios en el norte, por donde había viajado, le parecían fabulosos. Los pobladores de aquellas tierras hablaban su idioma y se asimilaban a sus costumbres. Pero España era algo diferente. A juzgar por su experiencia con los preceptores de aquel país, los castellanos le parecían seres de otro mundo.

Varias veces se había preguntado si la corona de los reinos sureños compensaría de todos los problemas que allí le esperaban. Las rencillas de mi madre en su propia patria no le eran desconocidas.

Antes de partir de Flandes, juntos habíamos recordado su última despedida del mismo puerto en el que en ese momento nos encontrábamos.

Madre, exultante de felicidad, convencida de que por fin nuestro padre sería rey, aunque consorte, pues la abuela Isabel había muerto poco antes.

A ella nunca le habían interesado los negocios de estado y no le habría importado cedérselos a su marido, si los castellanos la hubiesen dejado.

En realidad, lo único que quiso, al partir a España, era alejarlo de las frívolas flamencas. Juzgando a las españolas no tan atractivas, esperaba que la actitud de mi padre respecto a las féminas de allí no persistiera. Temía también que el comportamiento de su marido lo pusiera en evidencia ante nuestro abuelo Fernando, que lo consideraba peligrosamente insustancial.

Todo ello había ocurrido puntualmente.

Pero antes de que mi padre decidiera que las castellanas eran «feas y secas de pecho», había malgastado tanto oro de las cortes para sus devaneos que sus maridos comenzaron a odiarle.

Observando la aparente mansedumbre del mar me dije que Carlos no podía repetir los mismos errores.

El comportamiento de mi imberbe hermano respecto de las españolas no me preocupaba; sólo a una mente calenturienta como la de aquel cortesano castellano se le habría ocurrido relacionarlo con la gravidez de Claudia de Orange. Pero sus maneras, a veces un tanto despreciativas, como las de nuestro padre, eran susceptibles de enajenarle las simpatías de sus nuevos súbditos.

Unos pasos sonaron a mi espalda.

El entablillado de la cubierta bajo mis pies se levantó ligeramente, y en ese momento sentí como me ponían sobre los hombros una capa.

–Estáis loca, hermana –dijo Carlos–, el relente os hará caer enferma y no querréis que los españoles os conozcan convaleciente y pertrecha. Quiero que las hermosas damas que encontraremos a nuestra llegada queden prendadas de vos. Pues sin duda, alguna española elegiréis como acompañante.

Apoyó su mentón sobre mi hombro y se quedó mirando

al oscuro mar. A pesar de la gentileza de su gesto sus palabras me parecieron un tanto peregrinas.

–Cómo podéis pensar en hermosas damas, cuando lo que se os avecina toca todo tipo de negocios menos los de amores.

Carlos sonrió, zalamero.

–¿Ni siquiera los filiales?

Me hizo cosquillas en la espalda.

–¿Recuerdas esa vez que nos llamaron para que fuéramos a ver a nuestra madre? Según tu aya era seguro que la sacaríamos del trance. Llevaba días sin dormir y sin comer, postrada en su estancia y con la mirada perdida, la pobre.

¡Cómo no iba a recordarlo! Apenas entramos, los dos intentamos captar su atención y cuando Carlos se dirigió a ella yo le quité la palabra. El guantazo que me propinó motivó que comenzáramos a pelearnos.

A los sirvientes no les había quedado más remedio que arrastrarnos fuera de la estancia.

–¿Sabéis, hermana? –continuó–. Nunca podré olvidar el comportamiento de nuestra madre. Antes de cerrarse la puerta pude verla. Seguía en la misma posición en la que estaba cuando entramos, ni siquiera su mirada se había desviado lo más mínimo. Parecía uno de esos autómatas que gustan al garrulo de Sforza.

–Deberíais hablar de ella con más respeto. Si viajamos en estos momentos hacia Castilla es precisamente porque no queriendo o no pudiendo ella reinar, el poder ha recaído en vos. Lo cual me recuerda que es momento de hablar de vuestra actitud ante nuestro hermano Fernando.

Carlos, que hasta entonces había estado escuchándome relajado, se irguió y me sujetó con fuerza los hombros.

–No me habléis de Fernando ahora. Ya os he dicho que intentaré llevarme bien con él, pero ello no implica que tenga que ignorar lo evidente, esto es, que intenta usurparme el trono porque nuestro abuelo le prefería a mí en la sucesión.

–¡Pero Carlos, eso ya pasó! Adriano de Lovaina consiguió convencerle de que modificara su testamento y pusiera de regente a Cisneros. No miréis atrás, pensad en el futuro.

–El viejo cardenal es otro al que me tendré que enfrentar seguramente –continuó Carlos haciendo caso omiso de mis palabras–. A pesar de que se me haya dicho que es hombre de bien, de buenos deseos y sin parientes, me hace desconfiar.

La vehemente respuesta de mi hermano me hizo dar cuenta de que pensaba en su nuevo reinado mucho más de lo que aparentaba.

Tiempo después llegué a saber que, el día de nuestra partida, Sforza le había regalado un libro sobre el arte de gobernar, escrito por un diplomático florentino y dedicado en principio, paradójicamente, a nuestro abuelo Fernando. Después el tal Maquiavelo, autor de la obra, cambiaría de opinión y se lo ofrecería a César Borgia.

–Tendréis que demostrar que os esforzáis por seguir las costumbres del país. Respecto a Cisneros, tomad de sus consejos lo que estiméis necesario –le dije después de haber considerado una eventual oposición.

Esperaba impaciente su comentario cuando de pronto se empezaron a escuchar ruidos desesperados.

Corrimos hacia estribor.

A media milla de distancia podíamos ver una inmensa antorcha flotando en el mar.

Era la nao que portaba nuestros animales y parte de la servidumbre. Los mástiles y las velas ardían como si de teas se tratasen. Los ladridos y relinchos de las bestias se unían a los gritos de socorro de los sirvientes.

Carlos ordenó que arriaran un bote.

Se disponía a bajar para dirigir el salvamento, cuando Chièvres le cogió del brazo.

—¿Qué hacéis, señor?

—¿No lo veis? Intento salvar a mis leales servidores.

—Podría tratarse de una trampa. La costa española no está lejana.

—Más a mi favor —dijo Carlos, forcejeando para desprenderse de los brazos de los hombres a los que Chièvres había ordenado que le detuvieran—. Si se encuentran en ese trance por mi culpa, es mi deber hacer algo para tratar de socorrerlos.

—No os obcequéis, mi señor —continuó Chièvres—. Aunque tuvierais éxito pensad que sólo disponemos de una barca. Cuando se lucha por mantener la vida, el hombre se convierte en animal y olvida quién es el señor y quién el vasallo. Por muy pocos que sean los sobrevivientes, se echarán sobre vos y, más que agradecimiento, os darán una segura y desagradable muerte.

Carlos se deshizo de un tirón de aquellos brazos y se retiró muy enojado a su camarote, mientras yo, perpleja e inmóvil, veía cómo aquella hoguera flotante se apagaba y hundía sin remedio, rodeado de gritos y relinchos de angustia que se extinguieron tan pronto como el fuego.

Navegamos sin problemas hasta avistar aquel pequeño puerto de Asturias.

El verdor de los montes que lo rodeaban era parecido al que dejamos atrás y sólo eso me bastó para enaltecer el ánimo. Pero conforme nos acercábamos a la costa, los difuminados trazos de aquel diminuto pueblo se iban perfilando.

¡Qué insignificante, austero y pobre era comparándolo con el fastuoso puerto en el que embarcamos!

Los bajos y arrecifes se hacían más numerosos según acortábamos la distancia. El calado de nuestro barco era mucho mayor que el de aquellas pequeñas chalupas de pescadores que, como cáscaras de nuez, estaban atracadas en el puerto.

Como ya anhelaba sentir la firmeza de la tierra bajo mis pies, intenté localizar las barcas que nos recogerían con un catalejo.

Pero al mirar hacia la costa quedé perpleja.

¡Aquel diminuto puerto y el pueblo que lo rodeaba estaban completamente desiertos!

Carlos, engalanado para la recepción, me quitó el catalejo y miró hacia la costa.

–¡Cómo osan! –gritó–. El rey llega a sus dominios y nadie le aguarda. ¡Esto es obra de Cisneros!

El sonido de la gruesa cadena del ancla cesó. El capitán, ya seguro de su maniobra, se dirigió hacia Carlos.

–¿Qué os sucede, mi señor? Hemos arribado por fin sin más desgracias. Hace sólo un instante os mostrabais alegre y repentinamente habéis demudado.

Carlos detestaba tartamudear, lo que sólo le ocurría cuando se ponía muy nervioso, por lo que se limitó a pasar el catalejo al capitán señalando hacia el puerto.

Aquel marino estuvo durante unos largos segundos estudiando el paisaje.

Al separar aquella lente del ojo, esbozó una leve sonrisa.

–Olvidé decíroslo, la mala mar nos obligó a desembarcar en un puerto en el que no nos aguardaban. Pero no os enojéis. Todos estarán aquí en media hora.

Apuntó a las montañas y tendió el catalejo a mi hermano.

–Lo veis ahora, señor. Todos corren desaforados a esconderse. Si os fijáis bien, las chimeneas del pueblo están encendidas. Esas humildes casas de pescadores albergaban a sus habitantes hace tan sólo una hora.

»Os tienen miedo, han oído hablar de Barbarroja y sus piratas. Y una flota tan grande, seguramente la primera que han visto en toda su vida, no puede venir a otra cosa que a saquearlos y matarlos.

Carlos y yo lo escuchábamos pasmados

–¿Te has fijado? –me dijo mi hermano–. El color de sus pieles es claro y no como el de esos esclavos que tan de moda se han puesto en todas las cortes.

Íbamos camino de Valladolid cuando nos anunciaron la inminente llegada de unos grandes señores. Así que decidimos detenernos en un pueblecito, a la espera de ser aprovisionados de nueva caballería y servidumbre.

A ello se unió un leve resfriado de Carlos.

La verdad es que siempre pensé que era fingido, porque un mensaje había llegado esa misma mañana con un apremiante billete del cardenal Cisneros, y tanto Carlos como Chièvres estaban fuera de sí.

—Ese viejo achacoso parece quererse agarrar al poder para siempre —se descargó entonces mi hermano—. ¡Y eso que, según dicen, está moribundo!

Aun así, Carlos no había manifestado el más mínimo interés en saber el contenido exacto del mensaje. Después de mirar el sello, se lo entregó a Chièvres sin siquiera abrirlo.

—Seguro que me manda a decir cómo debo gobernar el reino. Pero estoy cansado de que gentes que apenas conozco intenten dirigirme la vida, desde cerca o a distancia. Primero padre, luego el abuelo Maximiliano, después el abuelo Fernando.

Chièvres se sentía tan seguro de la influencia que ejercía sobre mi hermano que se permitió despojarse de su reciente enojo con una sonrisa complaciente.

—Y ahora un cardenal que, en el mejor de los casos, olerá a alcanfor. A propósito, hermana, ¿te has dado cuenta de qué mal huele esta gente?

Aunque no se caracterizara precisamente por desprender un delicado aroma, Chièvres dedicó otra sonrisa a su señor.

Estuve a punto de responder, pero un servidor irrumpió en el lugar donde nos encontrábamos con otro correo.

Carlos, que estaba a mi lado, me miró y dijo:

—Leonor, os juro que si ese billete procede de donde pienso tomaré duras represalias.

Hacía sólo unos instantes casi bromeaba, pero ahora enfureció en sólo un momento.

—Tranquilizaos, quizá sea sólo la notificación de la muerte de Cisneros —dijo Chièvres.

Carlos ordenó al mensajero que se acercara y cogió el billete.

Esta vez lo abrió, sólo que nada más comenzar a leer, lo tiró sobre la mesa furioso.

—¡Decid al obispo de Badajoz que venga!

Tuve miedo.

Era verdad que Cisneros se estaba excediendo. Pero recurrir al declarado enemigo del cardenal no era prudente.

—Carlos, recuerda que hay que ser muy sutil a la hora de imponer cualquier tipo de castigo, sobre todo si se dirige a quien ha estado ejerciendo la regencia hasta ahora —me permití decirle, en un intento de calmar mi ansiedad.

—Querida hermana, seréis muy diestra en latín, pero más os valdría haber leído ese libro que Sforza me regaló. Su autor dice que hay momentos en que es necesario cortar el mal de raíz.

Mi hermano miró a Chièvres con complicidad y le pidió que lo acompañara.

Cuando regresó, no me pude contener.

—¿Qué has hecho? ¿Dónde está el obispo?

Carlos dudó unos instantes.

—Está redactando una carta para Cisneros. No temáis. No he ordenado ningún mal. Ni siquiera lo mando al exilio. Simplemente le agradezco sus servicios y le autorizo para retirarse a su diócesis.

Sobra decir que estas palabras no me tranquilizaron en absoluto. Es más, el tono de condescendencia me inquietó más aún, pero sabía perfectamente hasta dónde podía llegar con mis indagaciones. Carlos nunca fue muy paciente con los que intentaban sonsacarle.

Me dedicó una sonrisa.

—Mejor sería que os preparaseis para lo que vamos a encontrar en Tordesillas. ¿No os corroe la impaciencia por encontrar a nuestra madre, después de diez años sin verla? Las últimas noticias que hemos recibido de ella no son muy alentadoras. ¿No tenéis ganas de conocer a Catalina? ¡Pobre hermana! Ha vivido recluida desde que nació. Sin duda ella ha sido mucho más desdichada que cualquiera de nosotros en esta tierra inhóspita.

CAPÍTULO CINCO

En cualquier fortaleza de Castilla, a mediodía, los ruidos de caballerizos, cocinas, niños jugando y demás servidumbre suelen proporcionar vida a la casa fuerte, pero, cuando entramos en aquel patio, el silencio lo asolaba de tal modo que el sonido de los cascos de nuestros caballos se dijera el de campanas que tocaran a muerte.

Desmontamos.

Una dama que ni se presentó nos condujo escaleras arriba, abrió una puerta y nos dejó solos ante una mujer completamente vestida de negro cuya toca de viuda hacía resaltar aún más aquellos ojos rasgados y oscuros.

Carlos se acercó a ella, se inclinó respetuosamente y le besó la diestra cerrada.

Madre se mantuvo un largo rato en silencio.

—¡Qué cambiados estáis! –dijo abriendo la mano–. ¿Habéis ido a ver a vuestro padre? Si os he reconocido es por esta moneda. ¿Sabéis?, ya acuñan los escudos con nuestras caras enfrentadas. La verdad es que no sé por qué no ponen también a nuestro lado a Fernando.

En su impasibilidad, Carlos no pudo evitar un respingo. Supongo que sus pensamientos eran los míos.

¿La enfermedad de mi madre habría sido aprovechada por nuestro hermano para hacerle firmar algún papel que no conocíamos?

Porque no podía referirse a nuestro abuelo Fernando.

¿O acaso estaba tan recluida en sí misma que no sabía que su padre había muerto de lesión cardiaca y, después de ser amortajado con el hábito de dominico, había sido enterrado en Granada, junto a la abuela Isabel?

Carlos metió la mano en el bolsillo.

Sospeché que iba a sacar la carta en la que Cisneros le daba cuentas del fallecimiento del abuelo.

–Sin duda lo haréis bien, como lo hizo vuestro padre –dijo madre, haciendo innecesaria la prueba–. Eso sí, tened cuidado con traer a más gente que la de vuestra casa y estado porque los de aquí son susceptibles. No cometáis el error de vuestro padre. A próposito, id a verlo; seguro que se encuentra muy solo en Santa Clara.

»Él me quiso mucho más que a otra cualquiera y bien lo demostraba cuando encubría mis faltas. Por eso yo lo situé en la mejor sala del palacio del Cordón, en una cama rica, y vestido con ropa de brocado forrado de armiños, tocado con una gorra con joyas y una cruz de piedras sobre su pecho. Espero que así siga, pues fue como lo dejé, y cuando lo veáis os ruego que me confiéis si así sigue engalanado.

Sin duda la cabeza de mi madre no andaba bien. ¿Cómo podía suponer que después de tantos años íbamos a abrir el féretro para verle?

Acercándome a ella, me puse de rodillas, apoyé mi mano sobre su regazo y le dije:

—Madre, olvidaos de aquello, es algo que ya pasó y no podéis estar pensando en la muerte constantemente. Carlos reinará sobre España, con vuestro permiso, dado que sois la reina, y así os quieren todos vuestros súbditos. Vida y mirada al frente es lo que debe ocupar vuestros pensamientos.

Me miró enfadada. En un instante aquella expresión distante y sumida en el recuerdo se había tornado enfurecida.

Quitando mi mano de su falda con desprecio gritó:

—¡Cómo osáis hablarme así! Vos, que arruinasteis mi vida. Aunque la corte en Lila fuera libertina y frívola, el amor de tu padre crecía día a día. Hasta que quedé encinta de vos. Mi esbelta figura se transformó en un saco y vuestro padre comenzó a disiparse.

»El día antes de que nacieras tuve que pegar, señalar la cara y cortar el pelo a una mujer que guardaba entre sus pechos un billete en el que él le solicitaba sus favores. ¡Tanto miedo le produjo ser sorprendida que se lo comió y no pude leerlo, pero igualmente recibió su merecido!

Madre cada vez iba enfureciendo más y su blanca tez se enrojecía por segundos.

No podía creer lo que sucedía y menos entenderlo. ¿A qué venía aquel ataque? Yo sólo quería ser amable y cariñosa con ella. Excepto en raras ocasiones nunca había sido afectuosa con nosotros y no lo sería ahora que le resultábamos más extraños que nunca.

De todos modos, no pude evitar que me saltaran las lágrimas cuando gritó:

–¡Fuera, retiraos!

–Madre, Leonor sólo ha pensado en vos desde que desembarcamos y le pagáis así sus desvelos –dijo mi hermano.

Ella miró fijamente a Carlos.

–Estáis defendiendo a una mujer débil. Una señora que se precie, nunca ha de llorar ni mostrar sus sentimientos ante los demás. Y no sé cómo podéis intervenir, porque si ella fue la causante del inicio de todos mis males, ¡vos lo culminasteis!

Con una mirada de fuego, sentenció:

–Carlos, como reina os ordeno que digáis a esta plañidera que se retire.

Al salir de la estancia, rememoré de golpe las veces que la había visto en el mismo estado en Flandes. Estaba más envejecida, pero la mezcla de extrañeza y furia en sus ojos seguía siendo la misma.

No por ello dejó de sorprenderme la actitud de Catalina, cuando bajé y me encontré con ella. No estaba ni mucho menos afectada por los gritos, que seguramente habían llegado hasta allí. Evidentemente, la conocía mucho mejor que nosotros y estaba más que acostumbrada a verla así.

Carlos se reunió con nosotras.

–Después de que te marchaste preferí no alterarme y explicarle lo que pensaba aunque me costara –dijo tragando saliva, como si aún estuviera frente a nuestra madre–. Si lo que quiere es que reine sin involucrarla, sólo se le rendirán explicaciones de lo que quiera conocer y no se le molestará para nada más.

Al oír esto su expresión cambió de nuevo y regresó al estado en que la encontramos. Aquellas palabras la sosegaron. Llegó incluso a hacerme prometer que no me comportaría como nuestro padre. Al parecer, poco antes de morir, en momentos en que en todo el país había una gran hambruna, él se paseaba por los campos de Castilla como si nada ocurriese, prosiguiendo con sus cacerías, banquetes, juegos de cañas y aquellos amoríos que tan celosa la ponían.

Carlos me miró a mí directamente y refiriéndose a una conversación tenida en el barco comentó:

–Quizá estábamos equivocados y lo que ansía no es la muerte, sino la paz. Intenta eludir responsabilidades. Y para ello no encontró mejor remedio que el abstraerse de todo. De cualquier modo, debemos excusarla, perdonarla y comprenderla, como hijos suyos que somos. Encubrir sus faltas, como dijo que hacía nuestro padre con ella, sería lo mejor.

Estas palabras de boca de Carlos acabaron de sacarme de la melancolía que el trato de mi madre me había deparado. Estaba sorprendida por la muestra de madurez y comprensión de mi hermano. Era la primera vez que le veía aceptar una responsabilidad con mesura. Pero hubo algo que me enorgulleció mucho más que el acto en sí, ¡había

51

acatado su obligación sin presiones y de corazón! Chièvres no estaba en la estancia y lo que de su boca salió, fue propio y no dictado.

–De todas maneras, no deja de producirme pena verla en ese estado –continuó Carlos.

–Entonces, ¡si la hubieseis visto antes de la muerte del abuelo Fernando! –intervino Catalina–. Estaba mucho peor.

Carlos y yo nos miramos.

Sabiendo que nuestro abuelo no había estimado nunca a su marido ni ella a su padre, Carlos le preguntó:

–¿Quieres decir que la desaparición del abuelo la liberó de alguna manera?

–No, eso no. Porque cuando lo supo tuvo otro de sus ataques. A lo que me refiero es que a partir de la muerte del abuelo, Fernando no ha dejado de mandarle cartas cada mes. Y cada vez que puede, viene a verla. Madre ansía sus visitas casi tanto como antes el consuelo de la religión.

Carlos volvió a mirarme.

Imagino que por su cabeza pasó el mismo pensamiento que por la mía. En todo caso, era un hecho que mi madre había mantenido un extraño mutismo acerca de la pugna de nuestro hermano español durante el tiempo en que yo había estado presente en sus aposentos. Y dudaba de que lo hubiera mencionado en la conversación privada con Carlos, porque él me lo habría dicho.

CAPÍTULO SEIS

Hoy, a la luz de los acontecimientos posteriores, estoy segura de que Carlos no dejó de pensar en neutralizar las visitas de Fernando a nuestra madre, la cual, por más testamento a favor de Carlos que existiese, seguía siendo la reina.

Con la mayor parte de las personas importantes de esas tierras en su contra, mi hermano podía encontrarse en cualquier momento con que su propia madre, incitada por aquéllas, respaldaba al «Austria español».

De ahí la prisa de Carlos para que cuanto antes le juraran como rey en Valladolid.

Así que mucho me sorprendió el que, de pronto, Carlos quisiera retrasar nuestra partida de Tordesillas para tramitar la venida de Catalina con nosotros.

Ciertamente, la tétrica rectoría en la que vivía nuestra hermana castellana resultaba cruel, pero casi más me lo parecía dejar a mi madre completamente al cuidado de servidores, sin nadie cercano de la familia.

Chièvres, por supuesto, era del parecer de Carlos.

Por un momento llegué a pensar incluso que la idea se la había dado él.

¿Con qué objetivo? Sólo el escándalo provocado por mi madre logró disuadirles. Porque la reina, apenas oyó rumores de que Catalina partiría con nosotros, se enfadó primero y luego empezó a gritar y se puso tan fuera de sí que hasta se desnudó y bajó al patio en ese estado deplorable.

Aquello disipó de inmediato las intenciones de Carlos, cualesquiera que fuesen, teniendo que conformarse con encomendar al marqués de Denia, al cual consideraba fiel a su causa, que quedara al «cuidado» de la reina y de Catalina.

Proseguimos viaje.

Carlos cabalgaba moviéndose constantemente entre el séquito.

Valladolid ya se divisaba, cuando avistamos una gran polvareda entre nosotros y la ciudad.

Un jinete surgió de ella y, a todo galope, llegó hasta nuestro grupo, para anunciar la inminente llegada de Fernando, el cual, acompañado de varios duques, venía a darnos la bienvenida.

Carlos frunció el ceño en señal de desconfianza.

—Nuestro hermano pretende hacer ostentación ante mí. Presentándose con los caballeros más grandes de España intenta demostrarme que de su lado cabalgan.

—No os precipitéis, sabe bien a lo que venís –le animé–. Tal vez sólo quiere rendiros pleitesía antes que nadie.

—Espero que estéis en lo cierto, doña Leonor –dijo Chièvres, insinuando lo contrario.

Todos sabíamos que aunque Carlos ya había sido proclamado rey y así se titulaba, le faltaba el reconocimiento formal y necesario de las Cortes y el juramento mutuo que se acostumbraba en estas tierras.

Nosotros estimábamos la costumbre innecesaria y embarazosa, pero en España la veneraban y Carlos no podía negarse a ella.

Claramente, los rostros serios de Fernando y sus acompañantes anunciaban que la jura no iba a ser nada fácil, y mi hermano se dio cuenta de ello antes incluso de oír sus formales saludos de bienvenida.

Iba a necesitar de su todavía escasa capacidad de autocontrol para manejar la situación.

—Señor, ¿os habéis enterado ya de la muerte del cardenal? –dijo de pronto uno de aquellos nobles, con un desparpajo que dejó a Carlos descolocado.

—Sabía que estaba muy enfermo –se limitó a responder mi hermano.

El orgulloso castellano insistió.

—¿Y también que alguien se encargó de acelerar su tránsito?

Noté un leve temblor en la mano de Carlos que sujetaba las riendas. Rogué que no empezara a tartamudear.

Ahora recuerdo que cuatro días después de aquello pregunté a todos si Cisneros había llegado a leer la carta que

Carlos le había mandado, pero nadie me lo supo decir. Al final preferí pensar que no le llegó a tiempo. Que no murió del disgusto, sino de senectud. Aquello tranquilizó mi conciencia, pero no la de los españoles. Sus mentes calenturientas les llevaron a difundir que Carlos ordenó al obispo de Badajoz, enemigo de Cisneros, el envenenamiento del cardenal durante una cena. Llegaron incluso a decir que el fatídico líquido fue vertido dentro de la trucha que comió antes de fallecer.

–Seguramente Dios ha escuchado las rogativas para acabar con los sufrimientos de tal dilecto Príncipe de la Iglesia –dijo Carlos, haciendo uso de un sorprendente y casi perfecto castellano, que dejó a todos boquiabiertos, a mí la primera.

Un murmullo siguió en el séquito de Fernando.

Carlos se dirigió a Chièvres y, en flamenco, le dijo:

–Cuanto antes has de encontrar un alto lugar para mi hermano.

Una vez más, quedé sorprendida de lo bien que había salido del paso. Si seguía por esa senda tenía visos de convertirse en un rey sabio y prudente.

Lamentablemente, tanto para Fernando y sus nobles como para los vallisoletanos que nos acechaban, éramos extranjeros venidos a usurpar sus privilegios. Y la tarea para mi idealista pero orgulloso hermano se presentaba ímproba.

En primer lugar su castellano tenía que mejorar de verdad y no ser sólo producto de un momento brillante, si quería empezar a ganar la confianza de toda esa gente. Algo tremendamente difícil, porque los informes que recibimos en Valladolid estaban llenos de saña y envidia, defecto que dice ser común a todas esas gentes del sur.

Nobles y plebeyos veían en Carlos un cúmulo de defectos físicos. Según ellos era raquítico y en nada reflejaba la voluntad firme e inteligencia despejada de Fernando, al que todos parecían conocer muy bien.

Llegaban incluso a decir que no valía la pena seguir discutiendo sus posibilidades, pues pronto moriría o pasaría a compartir aposentos con su madre, dado que habían oído decir de «buena fuente» que había heredado su mal. Tras lo cual, los flamencos venales y rapaces que le seguían conocerían el filo de las espadas españolas.

Todo aquello indignaba a Carlos, que veía en sus nuevos súbditos, o al menos en los que difundían esas infamias, seres tan ignorantes como maleables.

Lo primero resultaba evidente, lo segundo pareció también que sí. Y digo pareció porque, a pesar de que en las fiestas y torneos que tuvieron lugar para agasajarnos tanto el pueblo como los nobles se mostraron contentos, más tarde se demostraría lo contrario.

CAPÍTULO SIETE

Una noche, después de cenar, solicité que Carlos me recibiera en sus aposentos. Acechados como nos sentíamos, ningún sitio más discreto que aquel para hablar.

Cuando entré, estaba recostado intentando leer un libro en castellano.

Lo cerró de golpe y lo tiró sobre la almohada levantándose y preguntándome con la mirada el motivo de mi visita.

—Explicadme qué es lo que pasa —le dije—. Hace tres meses que estamos en Valladolid para vuestra jura y sin embargo aún no habéis jurado.

Lo último que yo sabía era que en el convento de San Pablo se hallaban todos los procuradores reunidos discutiendo si habría que alzar a mi hermano como rey viviendo su madre. De hecho, Carlos se había enfurecido en varias ocasiones porque algunos osaban llamarle Alteza en vez de Majestad.

Se acercó y me tomó de las manos.

–Todo se está complicando por culpa de un personaje venido de una ciudad llamada Burgos. Ignorábamos que tuviese tanta fuerza entre los demás. Según parece se niega a jurarme, si antes no acepto sus condiciones. Como ha dicho Chièvres, la envidia le corroe como a casi todos aquí, y no soporta ver a los nuestros sentados a su lado en las Cortes. Hace unos días no sólo protestó porque hubiesen extranjeros entre ellos sino que además pidió que se tomara testimonio de su posición.

Molesta por la aparición de Chièvres en la respuesta, le dije:

–Está bien, pero dime, ¿cuáles son esas condiciones?

Carlos suspiró profundamente.

–«Escuchar lo que el reino quiere y desea, para que, haciéndolo y observándolo, se eviten contiendas y alteraciones». Ésas, más o menos, fueron sus palabras.

–La intención me parece loable.

–¡Hermana! –reaccionó Carlos–. ¡Eso sería rebajar mi dignidad a la altura del simple representante de una ciudad que ni siquiera conozco! Un personaje muy conflictivo, por otra parte. Imaginaos que ha osado enfrentarse al nuevo canciller de Castilla, cargo que ocupaba con anterioridad Cisneros y que todos habían pensado fuese para un hijo bastardo de nuestro abuelo Fernando.

–Lo veo bastante lógico –sabía que detrás de la elección del nuevo canciller estaba el consejo de Chièvres–. Vos otorgasteis la merced a Sauvage, que es flamenco, y así os habéis puesto a todos en vuestra contra.

—Sí, pero flamenco o no, Sauvage defiende mi dignidad y realeza. En cambio, el otro osa ponerme en entredicho. Como consecuencia de ello, se han creado dos bandos difíciles de contemporizar.

Calló, mirándome a los ojos.

Sabía que ansiaba mi opinión, pero era demasiado orgulloso para pedirla.

—Decidles que haréis lo que se pueda o esté en vuestras manos. Eso los tranquilizará y os dará tiempo para obrar como mejor estiméis. Pensad que no son los únicos que tendréis en contra. Lo que en Valladolid suceda correrá como reguero de pólvora hacia el resto de las villas en donde habréis de jurar.

Quedó pensativo. Sin duda sopesaba el alcance de lo que le había dicho. Dado que nadie de los que hablaban con él de los asuntos de estado era imparcial, se encontraba perdido.

Ya fuera por efecto de mis palabras o porque comprendiera que, aunque temerario, el representante de Burgos no estaría solo en su insistencia, sino apoyado por importantes señores, Carlos accedió a sus peticiones; al final llegó el esperado momento de la jura.

Era una mañana extremadamente hermosa, al menos para nuestros boreales ojos, porque la mayor parte de los asistentes a la ceremonia se quejaba de que el frío traspasaba las paredes y se filtraba en los huesos.

Sentada cerca de Fernando me di cuenta de que mi hermano español, impávido y sin mostrar emoción alguna, asistía al acto más importante de cuantos hubiesen tenido lugar desde nuestra llegada de Flandes como si de una aburrida representación se tratase.

Mientras Carlos, nervioso y emocionado, se ponía de pie para jurar mantener los fueros, usos y libertades de Castilla, una voz impertinente sonó desde el fondo de la estancia.

–¿Juráis no dar empleos ni oficios a extranjeros?

La falta de respeto del representante burgalés, ¡quién si no podía ser tan descarado!, era desmedida.

Se hizo un silencio sepulcral.

Carlos se puso pálido.

Al final, con voz clara y firme, dijo:

–Lo juro.

Después nos tocó a todos los demás jurarle obediencia a él, como rey de los españoles.

Entonces pude ver que Fernando salía de su impasibilidad. En su cara se veía la misma repugnancia que los otros por jurar a un rey nacido y criado en tierra extraña y además estando aún viva nuestra madre, la reina.

CAPÍTULO OCHO

Mi deseo más ferviente era estar siempre al lado de Carlos, pero algo me decía que en cualquier momento un destino diverso se fraguaría para mi persona.

Mi mayor preocupación eran las relaciones entre él y Fernando.

Bueno sería que los dos llegaran a congeniar, pues la diferencia de educación y de consejeros, que luchaban por defender sus propios intereses, no había de separar a los dos únicos varones de la familia.

Los que en Flandes residimos muy unidos estábamos, pero yo me sentía en la obligación de ampliar esta piña a Fernando y Catalina, dado que por sus venas corría la misma sangre que por las nuestras.

En una ocasión Carlos me había comentado que los distintos reinos españoles, desde hacía generaciones, vivían, luchaban y morían por conseguir la unidad de estas tierras;

sin embargo, poco habían hecho para fomentar la unidad familiar que entre todos había de existir.

Con su probervial idealismo me prometió que ésa era una de las tareas que más le incumbían.

Dejada atrás Valladolid, íbamos, pues, camino de Calatayud, con destino a la siguiente jura.

La primavera ensalzaba los campos y sin duda poco debía de faltar para que los calores de los cuales tanto nos hablaron comenzaran.

Junto a mí cabalgaban mis dos hermanos.

Mi preferencia estaba puesta claramente en Carlos, pero me daba cuenta de que Fernando sin duda sería más apuesto. Aunque todavía le faltaba un hervor para cuajar: en algunas de sus actitudes y contestaciones era aún más infantil que Carlos.

El rey desmontó del caballo y, después de dárselo a uno de los sirvientes, se pegó a mi silla. Fernando hizo lo mismo, situándose al otro lado, dejándome así en medio de los dos, que caminaban como si formasen mi cortejo particular.

—Le he dicho a Fernando que eres muy juiciosa e imparcial y por eso hemos decidido pedirte consejo —dijo de pronto Carlos.

La verdad es que no me molestó en absoluto que quisieran fomentar mi protección hacia ellos, si bien me extrañó que por primera vez estuvieran de acuerdo en algo.

—¿De qué se trata?

Carlos bajó el tono de voz pero sin llegar al susurro; supongo que para no levantar demasiadas sospechas sobre nuestra conversación.

–Fernando y yo hemos decidido conocernos mejor y dejar a un lado todas nuestras rencillas, como vos me aconsejasteis. Unas cosas nos han llevado a otras. Él me ha contado mucho sobre estas tierras que tanto ansiábamos conocer y yo le he relatado las vivencias que tuvimos en Bruselas.

La fastuosidad de la corte, la alegría de las damas por contentar a los señores y el lujo en el que nos movemos gracias al abuelo Maximiliano, tan lejano a la austeridad de nuestros abuelos Isabel y Fernando.

No alcanzaba a comprender adónde quería llegar, pero lo que sí vi nítidamente fue que sus palabras no eran demasiado ciertas. Si estábamos allí era por obligación. De no ser por la corona de España, Carlos siempre hubiera preferido vivir en nuestros estados natales.

–Carlos me ha dicho que el abuelo Maximiliano está muy enfermo y cansado, y que en muchas ocasiones le oyó comentar que sentía el no conocerme –dijo Fernando, esclareciendo de repente el plan de Carlos.

Lo arriesgado del juego me dejó pasmada, pues una de las peticiones que le hicieron en las Cortes fue que no enviara fuera a Fernando. Él podría haber ordenado su salida inmediata sin más dilaciones. Pero para no enemistarse a las Cortes era necesario que nuestro hermano cumpliera «voluntariamente» los deseos de Carlos.

Los favores y mercedes de éste, que llegaría a prometer a Fernando miles de ducados al año para gastos y los servicios de un fiel servidor nuestro, «para que no sientas la confusión que nosotros sentimos al arribar aquí», se encargarían de «convencer» a nuestro impresionable hermano español.

Por el momento, Fernando se limitó a besarme la mano y a alejarse, pensativo.

Carlos me miró y, encogiéndose de hombros con aire de superioridad, dijo:

–Espero que no os enfadéis. Pero es necesario que las miras de mis súbditos no se destruyan por divisiones entre hermanos.

–Carlos, sólo os pido una cosa –le dije–. Prometedme que, en cuanto podáis, le daréis la posición que merece.

Mirándome contestó:

–Haré lo que esté en mi mano.

¡Era increíble!

Acababa de repetirme lo mismo que le sugerí que dijera cuando no pensaba cumplir la petición de las Cortes de Valladolid.

Continuó:

–Puestos a jurar, os juro que nunca olvidaré a Fernando en mis mercedes y nada me gustaría más que sorprenderos en la calidad y cantidad que pienso otorgarle... cuando las aguas se calmen.

Aunque se pudiera pensar que estaba cambiando, fomentando la seguridad en sí mismo para pisar fuerte, en realidad no creo que se hubiese detenido a pensar en las consecuencias.

Sólo unos días antes, en Valladolid, se había comprometido a muchas cosas. Y las estaba incumpliendo una tras otra sin el menor recato.

En primer lugar, el canciller seguía siendo el flamenco Sauvage. Luego era evidente que había empezado a entregar prebendas de estos estados en beneficio de los nuestros.

¡Y ahora resultaba que planeaba deshacerse de Fernando!

En este caso en particular, su capacidad de seducción, unida a los ducados, dio un inmediato resultado.

Al día siguiente nuestro hermano dejó el séquito para embarcar rumbo a Flandes, con premura, para que nadie se enterara de lo dispuesto, e hiciera fracasar lo «acordado» entre él y Carlos.

Un mes más tarde, después de nuestra breve parada en Calatayud, entramos en Zaragoza con la secreta esperanza de ser acogidos con mayor entusiasmo de lo que lo fuimos antes.

Hacía meses que andábamos por aquellas tierras, y sin embargo, las cortes, de nuevo, se negaban a jurar a Carlos en vida de nuestra madre.

Cada auto se estaba convirtiendo en un nuevo parto, y todavía faltaban Barcelona, Valencia y Santiago.

Mi hermano miraba al tablero de ajedrez que teníamos delante sin mover un solo músculo, como hiciera mi señora madre. Aquella mirada perdida reflejaba que su mente andaba muy lejos.

Levantó la cabeza.

Sus mejillas, sonrojadas por el calor de la chimenea,

resaltaban más su blanca tez y el rojo de sus gruesos labios.

Se incorporó y ladeó la cara, como si se dispusiera a escudriñarme.

—Agradezco vuestros desvelos por mí, y sabéis que os quiero. Con vos me he sentido acompañado durante este largo viaje.

El miedo me abordó.

Así y todo, le dije:

—Mi deseo es estar a vuestro lado el mayor tiempo posible. Al menos hasta que tengáis una esposa que os comprenda como yo. No olvidéis que en las Cortes de Valladolid jurasteis casaros cuanto antes para asegurar la sucesión.

—No llevéis a otros derroteros lo que estamos.tratando. En lugar de aconsejarme que me case, ¿no deberíais vos pensar también en hacerlo?

Me levanté de mi silla y me arrodillé junto a él, tomándole las manos.

—No hagáis eso, Leonor. Sabéis también como yo que «nobleza obliga» y mucho más a vos que a cualquier otra mujer. Al igual que yo, vos tendréis que cumplir con lo que se espera de nosotros. Muchas, y más jóvenes que vos, ya lo hicieron sin rechistar.

Intuí que podía agobiarle. Mejor sería no mostrar mis verdaderos sentimientos.

Me levanté y, tratando de mantener firme la mirada, le dije:

—Siempre he sido consciente de mis obligaciones, aunque muchas veces pienso que son mermados mis derechos.

De todos modos, como bien sabéis, ya renuncié una vez al amor y sometida estoy a cualquier contrato que lo simule.

–¡El amor! –estalló Carlos–. ¿No os parecen suficientes los estragos que causó en nuestra madre? Es curioso. Soy yo el que ama las novelas de caballería y vos la que creéis en los ideales que en ellas se declaman. Lo que está bien para los reyes de los libros no lo está para los de carne y hueso, y menos para un Habsburgo: «Tú, Félix Austria, nube...».

–No me vengáis ahora con esa divisa apócrifa de nuestra familia: conseguir reinos a través de los matrimonios y no de la guerra.

–¿Os parece una forma desacertada? Yo la encuentro más cristiana que el derramamiento de sangre en batallas.

–¿Es por ello que ordenasteis el casamiento de Enrique con Claudia de Orange?

–Sí, pero no sólo por ello.

A pesar de la emoción del momento quedé intrigada, como si de la trama de una de sus novelas de caballería se tratara. De modo que, desviándome del asunto, le pregunté:

–¿Puedo saber ahora el porqué?

Carlos se acercó a mí, puso sus manos sobre las mías y tiernamente dijo:

–Porque si veíais que el hombre que vos amabais se unía a la mujer que detestabais, os habría sido más fácil olvidaros de él.

Quedé anonadada.

Muchas veces había tenido pruebas de la profundidad de Carlos, que se mezclaban a sus también constantes gestos infantiles. Pero el que ese razonamiento se hubiera producido en un joven apenas pasados los diecisiete años era sorprendente.

Y lo que era aún más sorprendente es que había dado en el blanco.

A veces no había podido evitar sentir cierto desprecio por Nassau al saberlo unido a un ser que yo aborrecía.

Carlos puso las manos sobre mis hombros.

Comprendí de pronto que la sinceridad de sus intenciones era tan fuerte como su determinación para que se cumplieran.

Dijo:

—Se trata del rey de Portugal.

—¡Pero si es un viejo enfermo! —grité.

—Mas es nuestro vecino, y sabéis que en estos casos siempre es conveniente llevarse bien. Además, los portugueses, como nosotros, extienden cada vez más su conquista en las Indias, y algún día pueden causarnos problemas.

—¡Y además viudo de la hermana de nuestra madre, nuestra tía!

Carlos me escuchaba impertérrito, como si nada de lo que dijese le importara.

—¿Cómo pensáis que seré recibida por sus hijos? ¡Una prima hermana convertida en madrastra! Por otra parte, ¿quién os asegura que desee desposarse de nuevo?

Carlos se dirigió a mí con voz de mando.

—Eso ya está hecho. Don Manuel se muestra de acuerdo. Así que habéis de casaros y no se hable más.

Sumida en mis pensamientos melancólicos permanecí varios minutos en silencio.

Me dolía profundamente su comportamiento.

Hasta ahora nunca se había comportado así conmigo.

Los papeles se estaban invirtiendo porque, si yo siempre actué con él como si de su madre ausente se tratase, él acababa de hablarme como el padre autoritario que nunca tuvimos.

Poco a poco empecé a calmarme.

Al fin y al cabo, pensé, no estaría desposada durante mucho tiempo, dada la edad y estado de salud de mi futuro marido, y era seguro que tendría la oportunidad de unirme de nuevo con alguien más placentero.

En cuanto a Carlos, abatido por los obstáculos puestos por los zaragozanos a la jura, quedó largo tiempo abstraído en sus pensamientos, dando mi caso como resuelto.

Estábamos uno frente al otro, sin hablarnos, cuando se abrió la puerta y Chièvres se ocupó de sacarlo de su ensimismamiento:

–Señor, el arzobispo ha conseguido lo que queríamos. Seréis jurado mañana y pasado mismo estaremos listos para partir hacia Barcelona.

CAPÍTULO NUEVE

Al amanecer, me desperté como si hubiera permanecido en un campo de batalla, el cerebro aprisionado por todos los pensamientos que aquella noche me mantuvieron en vela.

Abrí las cortinas de mi dosel.

El frío reinante me abofeteó.

El ruido que provenía del patio era infernal. Me envolví en una manta y me dirigí hacia la ventana.

Me asomé.

Los caballos enjaezados, las sillas de manos y literas listas, los carros cargados con mis pertenencias, los sirvientes vestidos de faena; todo estaba preparado ya.

Mis capitulaciones matrimoniales se habían hecho en secreto y debía partir rumbo a Portugal de inmediato.

En los momentos en que la desesperación había hecho presa en mí, intenté convencer a mi hermano de que me dejara quedarme con él hasta el día de su cumpleaños, argumentando que posiblemente sería el último que pasaríamos juntos. Pero tampoco aquello le hizo la más mínima mella.

Por mucho que me pesara, me había convertido en prescindible para el regio Carlos, y el hecho de no encontrarse plenamente acomodado en estos reinos parecía ahora jugar en mi contra.

En realidad, él no había acabado de resolver completamente su situación en España, pero eso parecía importarle poco ahora. Era como si sólo se obcecara en quemar las etapas que ya le habían sido asignadas lo más rápidamente posible, para iniciar otras nuevas de las cuales no había querido informarme.

Cuando al final no le quedó más remedio que darme la noticia, ¡nuestro abuelo el emperador Maximiliano había muerto!, descubrí que Carlos ya planeaba dejar estas tierras para correr a tomar posesión de sus nuevos estados del norte.

Aunque todavía no sabía dónde conseguir el dinero para que los príncipes electores lo «confirmaran», en lugar de a los otros candidatos más «pobres», como ese métome en todo de Francisco I de Francia, mi hermano no dudaba ni un segundo que él sería el próximo emperador del Sacro Imperio Romano-Germánico.

No se trataba sólo de ambición.

Con el tiempo yo habría de entender que, por temperamento, Carlos no podía apartarse más de la búsqueda de estabilidad y seguridad que todo común hombre ansía. La trashumancia le embriagaba y pocos lugares le consiguieron embaucar lo necesario, como para asentarse en uno de ellos.

Entró sin llamar.

–Vuestra antesala parece un muelle de puerto. He tenido que esquivar a varias damas que roncaban en el suelo –dijo sonriendo.

Me masajeé las sienes y cerré los ojos sin decir palabra.

–He venido a despedirme. Salgo de caza en estos momentos. Y para no echaros de menos, prefiero no ver vuestra partida.

Le miré un tanto escéptica.

–Gracias. Pensé que me estabais dejando de apreciar, pero lo único que me preocupa ya es imaginar cómo será aquel país.

Carlos se acercó.

–Dicen que los portugueses no son tan diferentes a los castellanos y que incluso su lengua es similar.

Me quedé pensativa.

Carlos me abrazó y pude sentir sus carnosos y calientes labios sobre mi frente. Una mueca de tristeza casi imperceptible se dibujó en su boca cuando se alejó de mí. La consiguió dominar y salió tan rápido que pisó a algunas de mis damas que aún dormían en el suelo de la antecámara.

Tres horas después me dirigía hacia la frontera portuguesa con un séquito precedido por Íñigo de Mendoza, hijo del duque del Infantado.

Encontraría a los lusitanos mucho más afables que a los

castellanos, aunque eso no mitigaba del todo mi melancolía.

Por fortuna, allí estaba Isabel, la bella hija de mi marido.

Al igual que yo, era la mayor de todos sus hermanos y muy pronto las dos nos sentimos muy unidas.

Hablaba perfectamente el castellano; era sensata, inteligente, bondadosa y protectora.

Cada vez que la veía aconsejando a su hermano, el futuro rey, sobre cuestiones de la vida, me sentía reflejada en ella y recordaba todos y cada uno de los momentos en que Carlos y yo dialogábamos animadamente en Flandes.

Teniendo en cuenta su rechazo a coger la pluma, antes de partir había dejado el encargo a la mujer de Chièvres de darme noticias de mi hermano. Nadie mejor que la esposa de su consejero para notificarme todo lo que a él le acaecía.

Sin embargo, no sería un billete de ésta el primero que recibiría, sino del mismo Carlos.

CAPÍTULO DIEZ

«Estas tierras catalanas me recibieron como esperábamos, las constantes y reiteradas quejas las conocéis y no es cuestión ahora de repetíroslas, pues os agotaría, al igual que yo lo estoy.

»Por ello no estaba dispuesto a permanecer cruzado de brazos, reconcomiéndome por dentro durante meses como lo hicimos en Zaragoza, ya que he comprobado que al final me juran igual y que de nada sirven tantos quebraderos de cabeza.

»Decidí entonces convocar a Capítulo a los Caballeros del Toisón.

»La fastuosa catedral de Barcelona muy bien albergaría a todos los que acudiesen y las preocupaciones se tornarían en ilusiones de inmediato.

»No sólo sería una manera simple de demostrar a todos la grandiosidad de nuestra orden, sino que además los diez caballeros más ilustres de Aragón y Castilla se sentirían agradecidos por mi demostración de confianza hacia ellos, y, lo más importante, pasado el Capítulo podría cerciorarme de su fidelidad.

»En cuanto a los catalanes, no estaba yo muy seguro de que esta gente, muy seria y muy suya, me recibiera como al rey que estima en mucho su forma de ser. Pero cuando vi el afecto y el calor de los barceloneses, el día de la ceremonia, deseé que su fervor se transmitiera al resto del condado.

»Las callejas colindantes a la catedral estaban todas engalanadas. Los que allí vivían esperaban atisbando curiosos desde sus ventanas a que nuestra procesión pasara. Aquellos que no tenían casas por la zona lo hacían de pie en las calles, convertidas en un hervidero de expectantes gentes, aprisionadas por el cordón que la guardia real había hecho para facilitarnos el paso.

»Salimos de palacio en fila de a dos.

»En la cabecera iban los cuatro oficiales y les seguían los caballeros asistentes perfectamente ataviados con el uniforme obligado. Cerrábamos la comitiva el vicario y yo.

»Aquello gran cosa fue, porque pude con gran ilusión oír por primera vez algunos vítores hacia mi persona. La verdad es que fueron pocos, pero mucho los agradecí. Primero porque la resistencia agraria era fuerte y todos me advertían de una posible revuelta en mi contra. Y luego porque, dada la sobriedad de gestos de los naturales de este país, contaban el doble.

»Al paso avanzaban los caballos con mantos ajedrezados.

»Los jinetes lucían sus capas granas, bordadas en oro con todos sus aditamentos. Eslabones, pedernales, chispas y toisoncillos simbolizando la mutua unidad entre todos y cada uno de ellos. Al cuello llevaban el collar, como estipulan los estatutos, y sobre sus cabezas los bonetes. Las pieles de hadas que se atisbaban bajo los mantos ondeaban al viento.

»Como apreciaréis, un espectáculo que no desmerece los organizados por nuestros parientes flamencos.

»Cuando llegamos a la catedral, todos, incluidos los caballeros aragoneses y catalanes, que bien la conocían, quedaron impresionados por el nuevo coro. Cada uno pudo localizar perfectamente su sitial debido a que en sus respectivos respaldos estaban blasonados sus escudos de armas.

»Los principales señores españoles tomaron sitio al lado de los caballeros flamencos y borgoñones. De los de estas tierras sólo dos sitiales quedarían vacíos, muy a nuestro pesar. De todos modos, me era grato ver a los nuestros, con mis nuevos súbditos, todos unidos por una misma causa.

»Días después tuvimos que retirar el collar a uno de los españoles, por frívolo y por sus aficiones censurables. Pero la penitencia que le impusimos no fue grande. Sólo tuvo que acudir en peregrinación al santuario de Montserrat y ofrecer a la Virgen una lámpara de plata del mismo peso que el collar, que luego recuperó.

»Me habría gustado que aún estuviesen en vida aquellos consejeros de nuestros abuelos los Católicos que contribuyeron a difundir entre los españoles la creencia de que nuestra corte flamenca era frívola y falta de moral.

»Cuando más viajo, querida hermana, más veo qué parecidos son los hombres en todas partes.

»Jurado ya en Barcelona, decidí partir sin más tardar hacia Santiago, para luego marchar hacia Borgoña a ser nombrado emperador.»

El deseo de estar allí con él hizo que mi corazón latiera más deprisa. Doblé la carta entre mis manos pero una voz en mi interior me habló: «Leonor, no os dejéis dominar. Eso ya pasó, los dos andáis desposados y es algo que no ha de acudir nunca más a vuestro pensamiento». Aquello era cabal y lógico, pero difícil de dominar. Nuestras vidas se unieron una vez, pero el río que las dirige fluye y condenados estábamos a cruzarnos, ésta no sería la primera ni la última vez que ocurriría. Sacudí mi cabeza como si quisiera despegar de mi cerebro semejantes pensamientos y abriendo de nuevo el papel proseguí con su lectura.

«Como sabes, Francisco, el rey de Francia, tan ansioso de poder ha estado siempre, que no dudó en erigirse candidato a emperador. Creo, Leonor, que a este enemigo será mejor tenerlo a bien, pues andando como el jueves entre mis estados puede incordiar más de lo que suponemos y él es consciente de ello.

»Por su mente sólo Dios sabe lo que pasa. Sé por un confidente que ha comentado que me será imposible gobernar en todas partes y que el más mínimo descuido lo aprovechará para engrandecer su poder en mi contra.

»Pero volvamos a España.

»Ya andan preparando la escuadra para mi partida desde La Coruña. Mis preocupaciones se acentúan. Los gritos de "Viva el rey y mueran sus consejeros" se pueden oír en todas partes.

»Para colmo, como cité a todos los procuradores en Tordesillas, entre el pueblo corrió el rumor de que intentaba sacar a nuestra madre del reino furtivamente, al igual que lo había hecho con Fernando.

»Seis mil hombres, unos armados y otros no, acudieron a la puerta del Campo para impedir mi salida, pero gracias al Señor conseguimos tomarles cierta delantera.

»He de reconoceros, Leonor, que no me agrada comportarme como un fugitivo y que más me hubiese gustado hacerles frente que huir, pero los flamencos andan tan asustados que no tengo más remedio.

»Lo que más me sorprende es que entre los instigadores no solamente haya revolucionarios, como pensé, sino clérigos, artesanos y vecinos honrados.

»A tanto llegan los murmullos y las alteraciones que, a veces, deseo abandonar estas tierras cálidas y regresar para siempre al frío cierzo en el que nacimos. En muchas ocasiones comprendo a nuestra señora madre, abstraída totalmente de tanta algarabía. Esta corona pesa mucho más de lo que imaginé nunca.

»Pronto embarcaré para luego marchar hacia Aquisgrán, dejando estos tristes estados cargados de duelos y desventuras. Pero no os preocupéis, me responsabilizo de ellos y os prometo que regresaré en cuanto me sea posible.»

CAPÍTULO ONCE

Isabel me miró con afecto.

Sin duda era la única que advertía mi aburrimiento ante tanta lisonjería por parte de las damas. Por suerte allí estaba mi recién nacido infante. Bien podría haber sido el emperador mi hermano, de parecido a Carlos que era. Pero ni siquiera el nacimiento de mi primer hijo me llenaba del todo. En verdad, le echaba mucho de menos. Desde la carta en que anunciaba su marcha a Aquisgrán no había recibido más noticias de su mano.

—Decidme, si no es indiscreción, por dónde andáis con el pensamiento y yo os seguiré gustosa —dijo Isabel.

Sonreí. Aquella niña grande era sin duda mucho más sensible que el resto de cuantos nos rodeaban y en muy poco tiempo me conocía mejor que las que me criaron.

—Sé, por la mujer de Chièvres, que Carlos se reunió en Calais con Enrique de Inglaterra, el cual mandó montar un inmenso teatro con lienzos pintados para el banquete de bienvenida. Pero según parece, apenas se hubieron sentado, un fuerte aguacero acompañado de un huracanado viento lo destrozó todo y tuvieron que correr a guarecerse.

Isabel sonrió.

Yo me quedé pensativa.

Me habría gustado estar con mi hermano y acompañarle hasta Gante, donde, siempre según la mujer de Chièvres, miles de hachones les habían recibido con regocijo.

Con tanta intensidad cerré los ojos que creí verle, con las vestiduras talares de Carlomagno, jurando defender a la Iglesia, la justicia, los débiles y los desamparados, y ungido ya y sentado en el trono, con el cetro y la espada de emperador, armando caballeros.

De pronto escuché una conocida voz castellana que me hizo volver a la realidad y a encontrar delante de mí a la esposa del marqués de Denia, a cuyo cuidado habían quedado mi madre y mi hermana en Tordesillas.

Me asusté, no era lógico que la custodia de la reina acudiese a Lisboa sin causa justificada.

Estaba demacrada y más parecía haber viajado a pie que en litera.

Levantándome del taburete le pregunté impaciente:

–Decidme, ¿qué acontece?

–Apenas el emperador partió a su coronación, nada más zarpar, comenzaron los disturbios y la insurrección –dijo aquella mujer–. Toledo fue la primera en explotar. Segovia la siguió sin dudarlo, pero esta vez de forma mucho más sangrienta. Los infelices corchetes que osaron defender los intereses de vuestro hermano fueron arrastrados con una soga al cuello por todas las callejas al grito de «mueran los traidores».

»Luego el fuego voraz de la rebelión se propagó al resto de las más importantes villas castellanas.

»La Coruña y Santiago siguieron a las anteriores por el norte, y Extremadura y Andalucía por el sur les imitaron.

»Por todos los rincones se oyen los ya conocidos gritos de ¡Viva el Rey y mueran sus consejeros!

»En Tordesillas nos manteníamos en espera de noticias y a vuestra madre la informábamos, a pesar de que ella parecía no querer enterarse de nada. Pero Castilla lo único que hacía era reclamarla y esto era lo que más nos preocupaba a todos.

»Hasta que hace dos meses, apenas amanecido, lo esperado sucedió.

»Los desórdenes de los que os he hablado por fin llegaron hasta nosotros.

»Vuestra madre, asomada a la ventana, miraba al horizonte sin mediar palabra alguna.

»Una hora después, los capitanes de aquel movimiento entraban en la estancia donde llevaba quince años encerrada.

»Uno de ellos, llamado Padilla, le expuso durante largo rato sus quejas. Cuando finalizó, quedó en espera de respuesta.

»Nuestra sorpresa fue enorme: vuestra madre, recobrando la lucidez, contestó no haber tenido jamás noticia de todo aquello.

»"¡Si lo hubiese sabido, hubiera procurado poner remedio a tamaños males!", exclamó.

»Terminada la reunión, la reina nombró capitán general al jefe de los insurrectos y, encantada de recibir el respeto y tratamiento que aquéllos le dieron, confesó a Padilla que ya tenía olvidadas desde hacía mucho tiempo las prebendas que un monarca se merece.

»Se organizaron entonces festejos y torneos en su honor y ella se hizo partícipe de todo con felicidad. Y cuando escuchó de los abusos de los mandatarios de Don Carlos, llegó incluso a decir que, conociendo bien a su pueblo, no comprendía cómo no se había sublevado antes.

»Mi señor esposo trató de hacerla entrar en razón, explicándole que con aquello lo único que conseguiría era poner a todos en contra de su hijo Carlos y posiblemente ya no le querrían como rey. A aquello, para aumentar más nuestra perplejidad, contestó que aún quedaba Fernando, al cual todos amaban y de quien "el flamenco" nos había privado.

»Gracias al Señor, siento decirlo, vuestra madre perdió el juicio al día siguiente y se le borró la idea de llamar a don Fernando. De haber sido así, segura estoy de que el emperador nunca más volvería a reinar en España.

Escuchaba con atención. Sin duda aquella mujer estaba en lo cierto.

Se podía pensar que mi madre había recuperado la cordura, pero lo único que le había vuelto era el habla y la capacidad de comunicarse, seguramente debido a la alegría fugaz que le dieron al tratarla como a una auténtica reina.

Una vez aburrida de todo, había regresado a su encierro en sí misma.

Sólo me vino una pregunta a la mente para aquella mujer:

—Decidme, ¿llegó a firmar algún documento de los que aquellos hombres le pusieron delante?

—No, señora —respondió—. Desde que regresó a su estado habitual no hubo forma de que firmara un solo despacho. Al tendérselos, permanecía horas con la vista fija en el papel, pero sin siquiera recorrer con su mirada las líneas para su lectura. Su mano permanecía como muerta, sobre la mesa, sosteniendo entre sus dedos la pluma, que no se dignó mojar en el tintero.

Con esa actitud, que yo conocía muy bien, sin saberlo, mi madre estaba salvando el reinado del emperador.

De pronto, la marquesa de Denia, hasta entonces triste y monótona, recobró el ánimo para decir:

—Padilla suplicó, lloró y hasta se arrodilló frente a vuestra madre, mientras ésta lo atravesaba con la mirada, como si de un fantasma se tratase. Pero sus ruegos no sirvieron para lograr su propósito. Bien sabéis la frialdad y el desprecio que nuestra reina suele mostrar ante semejantes situaciones.

Después de esto, tan perdidos se vieron aquellos hombres que decidieron escribir al emperador, relatándole lo sucedido, siempre en contra de sus codiciosos consejeros, solicitándole su regreso inmediato y clamando remedio para el pueblo ultrajado.

CAPÍTULO DOCE

Un sucederse de acontecimientos tan vertiginosos vino después, que poco tiempo y ganas tuve yo de ocuparme de la situación en España, excepto para escribir una carta a Carlos en la que le contaba mis percances y otra en la que le comunicaba el resultado de mi parto.

La muerte de mi pequeño hijo, luego mi difícil segundo embarazo y, finalmente, la muerte de mi marido, me dejaron pocas fuerzas para sufrir por otros motivos.

Sólo una cosa eché de verdad en falta en todo ese tiempo: una respuesta de mi hermano.

Las noticias que tenía sobre él las había recibido siempre por vía indirecta.

Me ocupé de centrar todo mi cariño en mi recién nacida, María. Y muy alegre me siento de ello, porque más tarde la vida no nos permitiría andar juntas a través de sus caminos.

Hasta que una tarde, me hallaba contemplando las muecas de mi pequeña, entró Isabel con una carta.

Al ver el sello de mi hermano la abrí rápidamente.

Bastante azarada, mi hijastra me solicitó si podía leerla en voz alta.

No lo dudé, nuestra confianza era tanta que nada de lo que mi hermano contara podría ser secreto para ella. Sabiendo además de su exquisita discreción, comencé a hacerle partícipe de las nuevas.

—«Me enorgullezco de vos. Sois la primera de nuestros hermanos que habéis perpetuado nuestra sangre. La muerte de vuestro hijo Carlos quedó atrás y "al frente hay que mirar", como vos decís, pues seguro es que esta nueva niña que tenéis recompensará en parte la pérdida de su hermano y tiempo tenéis de tener varones.

»Leí vuestra primera carta con detenimiento y preocupación y me detuve en el punto donde me hablabais de los disturbios causados por los insurrectos en España.

»Regresaré en cuanto me sea posible, pero he de reconoceros que estas batallas de las que me habláis me resultan lejanas, pues a una mucho más importante me enfrento en estos momentos.

»¡El catolicismo en estas tierras peligra, hermana!

»Un fraile agustino anda de un lado a otro negando la preeminencia del Pontífice, la existencia del purgatorio, el culto a la Virgen y los santos, la autoridad de la Iglesia para interpretar las sagradas escrituras y la confesión.

»Alemán había de ser por lo completo y meticuloso.

»Discute ante todos la acción de la divina gracia para

ayudar al hombre a conseguir la salvación. Y lo peor es que a muchos está consiguiendo convencer de sus herejías.

»Su nombre es Martín Lutero.

»Al principio no le quise dar mucha importancia por creerlo caso aislado, pero luego supe que indudablemente tiene sus cómplices. Muchos más de los que nunca pude imaginar. Entre sus filas corren estudiantes, humanistas e incluso grandes señores.

»El Santo Padre le ha excomulgado, pero él ha quemado la bula de excomunión en público.

»Muchos le vitorearon al cometer semejante sacrilegio.

»Su expulsión de la Santa Iglesia Católica sólo ha servido para darle más fuerza.

»Está retenido en Worms, donde me reuniré con él a principios del año venidero. Procuraré que entre en razón, pues corre el rumor de que el diablo anda detrás.

»Quizá tengamos que recurrir al exorcismo.

»Pero no quiero inquietaros más con mis desasosiegos. Ahora deseo daros una buena noticia.

»Nuestro hermano Fernando me es cada vez más fiel. No podéis imaginar cómo ha cambiado. La adolescente figura que recordáis ha desaparecido y ya es un hombre bien proporcionado.

»Su ansia de conquistas casi supera a la mía.

»Por ello le he nombrado mi lugarteniente y vicario general. Y muy al contrario de lo que se piensa en sus estados natales, el tiempo no nos separa sino que nos une. Aquel ansia de correr mundo que tenía ha desaparecido.

»Tanto es así que hemos decidido que en hora está de

casarse. También se ha dispuesto que nuestra hermana María se despose con el rey de Bohemia y Hungría, con lo cual conseguiremos los de nuestra sangre que una hermana más sea reina. Para mejor asegurar esta alianza, Fernando se casará con la hermana de su nuevo cuñado.

Imaginaba la nula libertad que tanto Fernando como María habrían tenido para elegir sus respectivos cónyuges. La política de «tú, Félix Austria, nube...» parecía ser ejercida a rajatabla por mi hermano. Me había acostumbrado tanto a ello que casi no me afectaba. Pero cuando, apenas enterado de mi viudez, el emperador me envió otra carta en la que me ordenaba que dejara Portugal y me trasladara otra vez a España, pues según decía en ella tenía «planes» para mí, me sentí profundamente ofendida en el orgullo.

¿Era posible que estuviera pensando en casarme otra vez?

Fue entonces cuando experimenté un inusual deseo de rebelarme contra esas consignas que hacen de nosotros, personajes de sangre real, parte de un ajedrez dinástico cuya mayor tragedia consiste en ser, a la vez, tanto piezas como jugadores.

Al final, la fuerza de esta costumbre ancestral y el indisoluble afecto que yo sentía por mi hermano, me hizo, una vez más, obedecerle, fuera para lo que fuese, y abandoné Portugal.

CAPÍTULO TRECE

El discontinuo traqueteo de mi silla de manos no me permitía encontrar la posición más cómoda. El tiempo transcurría lentamente. Aburrida, me puse a recordar los primeros viajes que Carlos y yo habíamos hecho en estas tierras del sur.

Mis cinco sentidos estaban puestos en los campos que recorría la comitiva. El romero, el espliego, el tomillo, el laurel y el ciprés inundaban mi olfato. Todas aquellas plantas eran casi desconocidas para mí entonces, y yo iba señalándoselas a mi hermano, llena de excitación, como el niño que recibe juguetes maravillosos no esperados. A pesar de los riesgos que nos aguardaban todo me parecía estimulante. En cambio ahora, mientras marchaba otra vez por esos meridionales caminos, me sentía cansada y casi vencida.

De pronto la melancolía me invadió.

A mi memoria acudieron los bosques de Malinas, la ciudad en la que Carlos y yo nos criamos. La frondosidad de aquéllos no era comparable con lo que ahora veían mis ojos. Para consolarme pensé que esas húmedas tierras, donde los arroyos son brazos de mar y el ganado engorda sin problemas, nunca serían capaces de dar frutos tan apetitosos como los higos y melones que regalaban las tierras que ahora me rodeaban.

Eché de menos a mi hija.

Mi pequeña María había quedado atrás.

Así había de ser, pues Portugal la ligaba. Como infanta de aquellos lugares, allí debía ser educada. Quizás en un futuro conseguiría que acudiera a España, adonde Carlos estaba a punto de regresar.

La duda sobre sus «planes» respecto a mí no debilitaba en nada el lazo que nos unía. Muy al contrario éste se tornaba en una fuerte y sólida cadena. Era necesario que así fuese, de otro modo la pequeña María habría sido sacrificada en vano.

Nos encontrábamos a unas dos leguas de Tordesillas cuando los caballos que tiraban de los carros se asustaron. Un ruido mucho mayor que el de un trueno nos ensordeció por un momento. La servidumbre comenzó a correr de un lado a otro asustada y gritando.

Me bajé de la silla y llamé al orden bastante enojada, pues si bien acepto la estupidez humana, me enerva la cobardía.

A lo lejos se divisaba una columna de humo.

Temí por mi madre y por Catalina.

Los insurrectos estaban aún en la ciudad; los imperiales debían de estar intentando retomarla.

De pronto, algo desconocido en mi persona me empujó hacia la contienda.

Los gritos quedaron atrás cuando espoleé mi corcel y a la cabeza de los soldados de la guardia comencé a galopar hacia la ciudad asediada.

¿Qué me impulsó a ello? ¿Era realmente el estado de mi madre y mi hermana lo que me preocupaba? La verdad es que yo apenas si las conocía. ¿Quería defender los derechos reales de mi hermano? Sin embargo, yo acababa de dejar una posición real sin que ello me importara demasiado.

Media legua antes de llegar encontramos a un soldado imperial herido de ballesta. La sangre escapaba del lado de su estómago a raudales. Aquel hombre gemía y nos solicitaba agua desesperadamente.

Desmonté y le di de beber.

Tosió, una mueca retorcida acompañó al vómito de sangre que de su seca boca surgió.

Lo incorporé sobre mi falda un poco más para que no muriese ahogado y en ese instante quedó inerte. Su brazo que hasta aquel momento se asía a mi hombro, resbaló y un cáliz de plata que se hallaba escondido bajo su manga rodó por el suelo.

Mi sorpresa fue rota por el tañido de las campanas de una iglesia.

Levanté la vista.

Sobre una de las almenas de la ciudad ondeó el estandarte imperial.

Montando, ordené el galope hacia ella. Cuando entramos las calles andaban sembradas de cadáveres. Mujeres y niños lloraban sobre cuerpos de hombres jóvenes y adultos.

El hedor a sangre y madera chamuscada mareaba. La desolación y el saqueo se respiraban por tódas partes. Los nuestros debieron de cometer tantas injusticias como los insurrectos.

¿Cuál sería la reacción de mi hermano?

Mi señora madre seguía en la misma actitud de indiferencia hacia mí que antes de que yo marchara a Portugal. De todas maneras, me quedé junto a ella esperando que llegase Carlos. Mientras tanto, casi sin darme cuenta, empecé a echar de menos a Isabel y a pensar en la posibilidad de que estuviéramos juntas de nuevo.

Aunque lo había imaginado otras veces, ésa fue la primera que me permití expresar verbalmente el deseo de que se casara con mi hermano, pues era claro que la infanta portuguesa andaba enamorada ya de él.

Catalina me miró muy sorprendida cuando se lo dije.

La verdad es que no acababa de entender su reacción.

–Por muy separados que andemos, sigo siendo su hermana, la que lo crió, y algún derecho tengo –le advertí.

Catalina me observó con expresión incrédula.

Le rogué que dejara de ser tan parca, tan castellana, y hablara de una vez.

—¿Acaso ignoráis que tenemos una nueva bastarda en la familia? —dijo al fin—. Carlos ha tenido una hija llamada Margarita, como nuestra tía.

Quedé perpleja, no sabía nada, nadie me había advertido de ello. En mi imaginación, Carlos se estaba ocupando de terminar con los conflictos en el norte para poder venir lo antes posible a nuestro lado.

—¿Estáis segura de lo que decís? ¿Cómo es posible que vos, casi enclaustrada, sepáis más que yo?

Tras unos instantes de duda, mi hermana agregó:

—Si queréis que no siga siendo «castellana» puedo deciros también que, según cuentan, la muchacha es hija de un rico tapicero y muy hermosa. Y que Carlos ha reconocido a la pequeña y le ha prometido a la madre que velará por ella toda su vida. De todos modos, no os preocupéis. Llegado el momento Carlos no faltará a su obligación como emperador y, como vos, se desposará con la persona adecuada.

Era increíble. ¿Tan olvidada me tenía que ni eso me comentaba?

Una angustia desaforada me invadió. Levantándome enfurecida grité:

—¡Vos lo queréis!, pues sordo, huidizo y desagradecido os mostráis.

Catalina me miró y la preocupación acudió rápida a sus ojos.

—¡No, Leonor, os lo ruego! No mostréis locura ante mí, pues muy sobrados de ella andamos ya.

Me había dejado llevar. Yo, la mujer más cabal de estas

tierras, perdí la cordura y todo debido a los desatinos de mi hermano.

Inclinándome hacia Catalina el sosiego retornó a mí.

—Tranquilizaos y perdonadme, os lo ruego. Sabéis que me preocupo por él más que por mí misma y simplemente me he sentido agraviada al conocer sus andanzas amorosas.

Mi preocupación por Carlos rápido amainó, por la tensión guerrera que aún nos rodeaba.

Las huestes imperiales acababan de vencer en los campos de Villalar, cuando la llegada de un despacho urgente de mi hermano llevó mi pensamiento por derroteros familiares todavía peores.

CAPÍTULO CATORCE

«Cuando acabéis de leer esta carta, sé que quedaréis sorprendida. Pero os ruego que no temáis sino que me invoquéis sólo en vuestros rezos. Se trata de un sueño. De una pesadilla que tuve anoche y que hoy quiero relataros.

»Apenas había aclarado. Con la guardia me dirigía hacia un campo plano. Dos mil soldados imperiales me aguardaban, los estandartes de las más nobles casas españolas ondeando al viento. De pronto, uno de mis hombres, con el mayor de los respetos, me ordenó que me quedara en la retaguardia. A mí, vuestro hermano Carlos, el emperador, el amante de las batallas.

»Sin embargo, obedecí.

»Desde mi posición protegida escuchaba el chocar de lanzas con estribos, armaduras con yelmos y balas de hierro con cañones, mientras los soldados aguardaban la orden de ataque.

»Aquellos fastuosos caballeros esperaban enfrentarse a la muerte con la solemnidad y la valentía dibujada en sus rostros, mientras yo, sencillamente, los observaba.

»Las trompetas sonaron y la ansiada voz se escuchó al fin:

»–¡Santa María y Carlos!

»–¡Santiago y libertad! –se oyó en la lontananza.

»El enemigo avanzó, lentamente al principio, a galope después. La lluvia caía con fuerza, pero a pesar de que algunos caballos se hundían en el barro haciendo caer a sus jinetes, los demás no se intimidaban y seguían adelante.

»Y así hasta que, viéndose perdidos, comenzaron a desertar.

»Con el barro hasta las rodillas su huida se hacía lenta mientras caían como hormigas pisoteadas. Los soldados adversarios se arrancaban sus divisas y se ponían las blancas de los imperiales.

»Un frailecillo de los nuestros gritaba:

»–¡Matad a esos malvados, destrozad a esos impíos y disolutos! ¡No haya perdón eterno ni descanso! ¡Bien gozará en el cielo el que destruya esa raza maldita! ¡No reparéis en herir de frente o por la espalda a los perturbadores del sosiego!

»Al poco tiempo todo se calmó; el campo, sembrado de cadáveres y moribundos, iba siendo despejado por mis huestes.

»Los muertos quedaban en carnes.

»De repente me encontré ocupando el sitial de honor frente a un cadalso.

»Tres hombres aparecieron.

»Iban en camisa. La longitud de las cadenas de sus grillos no llegaban a un palmo; sus pasos eran torpes y tropezados.

»El pregonero habló:

»–Ésta es la justicia que manda Su Majestad. El gobernador, en su nombre, ordenó degollarlos por traidores.

»De pronto, uno de aquellos tres condenados gritó altivo:

»–Mientes tú y quien te lo mandó decir. Pues somos más celosos del bien público y defensores de la libertad del reino que traidores.

»Otro de ellos se adelantó y dijo:

»–Degüéllame a mí primero. Para no ver la muerte del mejor caballero que queda en Castilla.

»El verdugo no lo dudó.

»No pasó ni un instante y el segundo se arrodilló. Pero de pronto se incorporó y miró hacia donde estábamos, como si buscara a alguien.

»Su mirada rastreadora se detuvo en vos. Pues ahí estabais vos, compañera en los momentos difíciles.

»–Señora, tomad esto. Os ruego que se lo entreguéis a mi esposa –os dijo.

»Se quitó un relicario que de su cuello pendía y os lo entregó.

»Tras lo cual le fue cortada el habla y la vida.»

Cuando acabé de leer la carta sentí escalofríos.

Días antes, después de la batalla que había acabado con la insurrección, pasando por la plaza del mercado, había visto tres cabezas putrefactas clavadas en escarpias.

Eran las de Maldonado, Padilla y Bravo, los tres hombres que habían organizado la revuelta.

CAPÍTULO QUINCE

Aquel encaje estaba quedando perfecto. No era fácil, pero al fin lo conseguí. Los hilos, invisibles en su recorrido, se deslizaban rápidamente entre mis dedos.

Catalina atisbaba desde la ventana.

La calma había regresado a los reinos pero no así Carlos.

Intuíamos que de un momento a otro pisaría estas tierras, aunque no nos había comunicado nada sobre su venida a Tordesillas. La esperanza me embargaba, desaparecida la preocupación desatada por su última carta.

A ello había contribuido mi confesor, un jerónimo italiano que me acompañaba desde Portugal. A él acabé comentando el temor que el macabro relato de mi hermano me desató. Estuvo de acuerdo en que, claramente, la visión de Carlos se refería a la batalla que decidió la suerte de sus reinos españoles. Pero donde yo vi un temible signo de la herencia de nuestra madre, mi confesor dijo entrever la mano de Dios.

El poder que la divinidad confiere a reyes y emperadores no sólo se manifiesta en su *potestas*, su posibilidad de dar órdenes que sean obedecidas, me explicó el buen padre. Dios, a veces por medio de visiones, a veces de «revelaciones», les permite a los reyes conocer aquello que a los simples comunes les es vetado.

Para nada Carlos mostró síntomas de heredar las anomalías mentales de nuestra madre en su pesadilla. Simplemente, «amorosamente», fue la palabra del bueno de mi confesor, el Señor quiso mostrarle un camino a seguir a través de una advertencia, con la crueldad de aquellas imágenes para reforzarla.

Sin duda Dios estaba cerca de la misión de mi hermano pues «nuestro» Adriano de Lovaina, el sabio hombre de iglesia que había tenido siempre a su lado como maestro y consejero, y últimamente como regente, acababa de ser nombrado Papa.

Lo cual, en cierto modo, obligaba a Carlos a volver a los reinos del sur, pues, estando Lovaina camino de Roma, su vacante en España no podía mantenerse por sí sola.

Nuestro regente, a pesar de ser odiado por el pueblo romano, marchaba a su tarea con la austeridad, sencillez y humildad que indicaban en su carácter una clara repugnancia hacia el boato, la opulencia y la ostentación, tan características en sus antecesores.

Era de esperar, pues, que su antaño discípulo se decidiera a hacer otro tanto con estos estados que mucho lo necesitaban, aunque en nada fuera comparable su situación con la de Adriano. Porque, mientras en aquella corrupta corte romana a nadie pareció acertada su elección y lo aguardaban desganados, era evidente que los españoles ansiaban cada vez más la llegada de Carlos.

En cuanto a mí, la monotonía me embargaba.

Nuestras cotidianas costumbres en nada diferenciaban el hoy del mañana. Sin embargo, algo en mi interior me decía cada noche, antes de apagar la vela que aquella uniforme vida cambiaría de un momento a otro. Carlos no me habría hecho dejar la corte portuguesa para convertirme en celadora de mi madre y de mi hermana.

Concentrada en mi labor al igual que Catalina me encontraba, cuando oí que alguien subía por las escaleras.

Esperaba percibir el ruido que los sirvientes hacían habilitando la sala contigua para el almuerzo, cuando alcé la vista y vi a mi madre mirando a la puerta.

Allí estaba el emperador, galante y sonriente, delante de nosotras.

Me levanté de inmediato y corrí a abrazarle.

Catalina, más recatada que yo, hizo una pequeña reverencia, tras lo cual se retiró.

Carlos acudió entonces al lecho de mi madre y la besó en la frente. Pero ni eso sacó a la perpetua enferma de su obnubilación.

No pude resistirlo.

Era más fuerte que yo.

Mi intención de reprocharle su larga ausencia pasó.

—Os veo igual de tranquila que siempre —sonrió él, acercándose.

Como otras tantas veces no alcancé a distinguir si hablaba en serio o se burlaba cariñosamente de mí.

–La que se ve tranquila por primera vez en mucho tiempo es vuestra corona –le dije, en cualquier caso–. Pero pendió de un hilo y a vos no pareció importaros demasiado.

–Advierto que os habéis castellanizado más de lo que suponía y comprendéis mejor que yo a los súbditos que de mí desconfían –sentenció Carlos, siempre con expresión sonriente.

La imagen de la batalla de Villalar acudió a mi mente de nuevo.

Mi indignación resurgió del escondite al que se había visto relegada y no pude disimular mis sentimientos ni siquiera en el tono de mi voz.

–Sobrevivo dignamente, a pesar de que me olvidasteis en estas tierras revueltas. Pronto comprobaréis que vuestra servidora ha intentado suplir con el celo debido vuestra falta.

»Gracias a vuestros fieles seguidores, muchos de ellos nobles castellanos y aragoneses, no lo ignoréis, las aguas regresaron a su cauce. Mientras vos me hacíais tía, ellos luchaban heroicamente y hoy os encontráis la guerra terminada. Sólo Francisco de Francia sigue molestando en el norte.

Al mentar a su más fuerte adversario Carlos me reprochó:

–Esas tocas de viuda os han agriado el carácter.

Pensé que mejor sería callarme.

Mi hermano prosiguió.

—De todo estuve enterado y grandes quebraderos de cabeza me produjeron estos negocios, os lo aseguro. Pero en vuestra voz encuentro cierto rencor hacia mí, querida hermana. Si lo que os altera es no haber sido informada de los pasos que os han llevado a ser tía, fue debido a que vuestra rectitud no admite devaneos.

Su mirada se desvió hacia el lecho de mi madre.

—¡Pero Leonor!, deberíais comprender que, además de emperador, pertenezco al reino de los hombres y se da el caso de que las debilidades de éstos me agradan.

De pronto vi cuánto había cambiado.

Se mostraba más seguro, sólo ya en su decir se apreciaba. La verdad era que a pesar de sus reproches estaba encantada de tenerlo de nuevo a mi lado. Sabiendo qué malo sería romper aquel esperado momento con amonestaciones, cambié mi tono.

—De acuerdo, Carlos, os puedo entender. Pero sólo os ruego que la próxima vez que tengáis un hijo sea el de vuestra reina.

Su rostro se mudó de inmediato.

—Leonor, dispensadme un favor, por muy arduo que os resulte. Debéis entender que Chièvres murió y mi tutor y querido maestro, Lovaina, tampoco está ya a mi lado. Por tanto dejadme tranquilo respecto a estos asuntos.

Mi señora madre, sin pronunciar palabra, me dirigió una mirada de reproche, a la cual no hice demasiado caso. Por mucho que le pesara, nunca nos había proporcionado el cariño que necesitábamos y en ese momento ya no me atemorizaba en absoluto.

Carlos continuó, indignándose un poco más con cada palabra que pronunciaba.

–No me intentéis dirigir en la moral, a no ser que pida vuestro consejo. Todos me habláis de lo mismo. Hasta ese culto y nada moralista piamontés al que he nombrado canciller, me habló ayer de ello. Pero siento deciros que en mi deseo no está el tomar estado todavía. Lo haré, os lo prometo, pues es mi obligación; pero os pido que no me agobiéis.

Asentí, sumisa.

Una sonrisa burlona surgió de su faz.

–Hasta ese día, tendréis que complacerme con un pequeño servicio que sólo vos podéis cumplir.

Intuí por su mirada una broma de mal gusto.

–Pero tenéis que jurarme que haréis que todos cuantos os rodean sean tan discretos como vos, ¿lo juráis?

Sin dudar, aunque remisa, contesté:

–Lo juro.

–Entonces, bajad conmigo.

Quedé estupefacta.

Al lado de la chimenea, Catalina mecía a una niña de pocos meses en los brazos. Una rolliza aya flamenca la miraba.

No podía ser Margarita, ¡aquella niña tendría ya que andar! ¿Quién era entonces?

–Aquí tienes a Juana, como se llama esta criatura de Dios, mi segunda hija –dijo Carlos, sacándome de dudas de inmediato.

Lo primero que pensé era que estaba jugando conmigo. Para apaciguar mis ánimos unos minutos antes me había hablado de su obligación de tomar estado y ahora aparecía con otro hijo bastardo. Difícil sería sofocar mi alteración.

¡Eso no era nada propio del emperador que vi partir años atrás!

–¡Carlos, vuestro corazón me asombra! De todos modos, esta recién nacida debería regresar a los brazos de su madre, de donde nunca debió ser arrancada. Y os ruego que borréis esa sonrisa de vuestro rostro. Mis palabras van en serio.

Como si no me escuchara, Carlos se acercó a la niña y le hizo una carantoña. Catalina estaba entusiasmada, probablemente nunca había visto a un ser tan diminuto entre los oscuros muros donde se crió.

–¿A qué es extraño? –le dijo mi hermano–. No habla, ni siquiera centra su mirada en nuestros rostros. No conoce, ni desconoce. Se limita a comer y a dormir; y sin embargo, cautiva a todos los que a su lado se acercan... Excepto a los gruñones que se obstinan en no admitir su existencia.

Catalina se limitó a asentir con la cabeza mientras esperaba que mi hermano continuara su discurso.

–¿Qué culpa puede tener esta niña de que Dios quisiera llamar a su madre en el mismo momento en que ella veía la luz? Pero al menos Juana tiene suerte. Leonor me ha prometido hace unos instantes hacerse cargo de ella. Más suerte que las que acabaron enterradas en cualquier campo perdido o sirviendo a algún campesino deseoso de tener una esclava.

El cargo de conciencia me asaltó.

Carlos se volvió hacia mí y la súplica acudió a su mirada.

–Sabéis que nunca perjuraría o faltaría a mi palabra –le dije–. Pero a mi hija dejé en Portugal para seguiros. Renuncié a ella por vos. No podría sostener a vuestra hija entre mis brazos sin pensar en la mía y eso me haría sufrir día tras día.

Carlos me acarició y, mostrando aquel cariño que tanto le costaba exteriorizar, matizó:

–No os pido que criéis a Juana. Sólo os la entrego para que busquéis un lugar donde pueda crecer segura y junto a alguien que le dé cariño.

Pareció satisfecho cuando le hablé de un convento de agustinas en el que las monjas se sentirían orgullosas de tamaño honor.

Sería la última vez que veríamos a Juana.

Aya y niña partieron a la mañana siguiente hacia su destino.

A decir verdad, me sorprendió la ligereza y frialdad con que Carlos se despidió de una hija a la que todo hacía prever que nunca más vería. Aunque el transcurso de la vida me demostraría que a veces esos sacrificios eran necesarios, no puedo negar que esa actitud de mi hermano siempre me molestaría.

El pecado carnal estaba admitido aunque no consentido, pero sus huellas debían ser borradas. Muchos conseguían legitimar a sus bastardos acudiendo a los Sumos Pontífices y a los reyes, y si alguien podía lograr eso sin esfuerzo era Carlos. Mas en ese momento en el que su preceptor Lovaina ocupaba aquel puesto, sin embargo renunció a ello. El haberse deshecho tan fríamente de algunos de sus hijos sólo le quitaría el sueño muchos años después, cuando la muerte y el arrepentimiento le requerían.

Pero la suerte de Juana no fue tanta como la que mi hermano proclamara. Pues a pesar de los cuidados de las monjas, aquella niña que soportó el duro viaje de Flandes a España tuvo una infancia sobrada de enfermedades y, después de proporcionar a aquellas santas mujeres mil quebraderos de cabeza, su vida se truncó cuando sólo contaba ocho años.

CAPÍTULO DIECISÉIS

Como bien gustaba a mi hermano, tenía Gattinara aquellas características que sólo suelen darse en los prelados de la nobleza italiana. Con ellos se podía hablar tanto de política como de religión, de arte como de guerra o de exquisita repostería. Pero a diferencia de la mayor parte de aquéllos, el cardenal Gattinara no era cínico. Muy bien lo había demostrado aconsejando a mi hermano sabiamente desde su puesto de canciller, y ocupándose de que la otra hija de Carlos, Margarita, llegara un día a ser una mujer prudente y culta.

Sin embargo, al marcharse la comitiva que llevaba a la pequeña Juana al convento, pocas ganas tenía de hablar con alguien, ni siquiera con él. La imagen de mi niña sola en Portugal me atormentaba.

Me sorprendió la aparente falta de relación con lo acontecido de su comentario.

–Es soberbia, ved el detalle con el que la cincelaron. Podría pasar horas mirándola sin aburrirme –dijo el piamontés, refiriéndose a una armadura que se encontraba en la sala en la que, buscando un poco de quietud, me había refugiado.

Me paré y lo miré mientras tocaba aquella pieza con tanta delicadeza, que más parecía estar acariciando las plumas de algún tocado.

Dado que no se dio la vuelta, me cercioré de que a mí se dirigía. Una vez segura de que nadie más había en la sala, contesté con desgana:

–Lo es, señor, y deseando está Su Majestad estrenarla.

–¿Tan claro tenéis que el emperador quiere combatir junto a sus huestes y no asentarse como vos queríais?

Me molestó aquella arrogancia con la que me hablaba, sin siquiera mirarme, mientras me dirigía la palabra.

–Si permitís a Vuestra Alteza que se retire.

Gattinara pegó un respingo y, separándose de la armadura, se inclinó ante mí.

–Perdonadme, os lo ruego, pero en ocasiones pienso en muchas cosas a la vez y eso me pierdo... pierde. ¡Ah, estos verbos castellanos, tienen tantas formas! Vos ya lo habláis maravillosamente. Admiro vuestra capacidad para no confundirlo con el portugués.

Aquella mezcla de humildad, ironía y galantería de aquel hombre, en un principio soberbio, me hizo recordar todo lo que estaba haciendo por Margarita y, pensando en mi hija, le tendí el libro que llevaba en la mano. Estaba desgastado pero la edición era única, pues la imprenta hacía muy poco que funcionaba bien en España.

114

–Está escrito en castellano. Cada línea de la *Divina Comedia* es inimitable en italiano. Pero esta versión me ha sido muy útil para aprender el idioma.

Gattinara observó la obra con ojos expertos.

–Es un honor. Lo aprecio más que si hubiesen sido yemas de Santa Clara. Sabéis llegar rápido a descubrir lo que interesa al hombre.

No pude contener una sonrisa.

Derribada la puerta del castillo, el habilísimo diplomático que se escondía detrás del auténtico goloso atacó:

–Y si, como habéis dicho al comienzo, vuestro hermano tiene prisa por usar cuanto antes esta armadura, su voluntad de guerrear fallida se verá sin los medios suficientes. Ejército tiene, pero anda escaso de recursos para mantenerlo y la dote de una princesa bien serviría a esta causa.

Quedé asombrada de su capacidad para reconducir el discurso al tema que le interesaba. Hasta llegué a pensar que todo había sido un montaje preparado hábilmente. Decidí que, para rendirle honores, lo mejor era ir directa al grano.

–No sé si sabréis... todavía que justo ayer hablé con el emperador sobre la posibilidad de un rápido desposorio. Un tema que prefiere eludir constantemente.

–*Per bacco se lo so!* ¡No imagináis cuánto lo sé! Cuando Enrique de Inglaterra mandó embajadores para tratar la boda de su hija María, y os puedo asegurar que la dote era cuantiosa y estimable, vuestro hermano apenas los recibió, y todavía no se ha decidido a responder, ni siquiera de palabra.

La boca de Gattinara segregaba saliva y hablaba de dinero como si se refiriera a uno de esos dulces que tanto le entusiasmaban. Sin duda la avaricia le tentaba, a pesar de que aquellos ducados no fuesen para él.

De todos modos, su expresión me resultó divertida y decidí rebatirlo con el mismo argumento utilizado con Catalina.

–Todo lo que me contáis lo sé, y con detalle. Pero nuestra prima María es aún muy niña y tendrá que esperar para ver realizados sus sueños. Carlos no es paciente y creo sinceramente que no esperará. Lo siento más por nuestra tía Catalina que por Enrique Tudor, pero os aseguro que nuestra alianza con aquel estado tendrá que aguardar.

Gattinara me escuchaba con aire de contradicción, pero yo seguía pensando que no convenía volver a lanzar el nombre de mi candidata porque cuando lo hiciera, en el momento oportuno, todos, incluido Carlos, se mostrarían de acuerdo.

Al fin y al cabo Isabel de Portugal era rica y su dote podría ser más cuantiosa que la de María, pues, como a nosotros, a los portugueses también les llegaban las riquezas de las Indias a espuertas.

De todas maneras, algo rápido tenía que hacer yo para que Carlos no siguiera escudándose en la poca edad de María y manteniéndose quién sabe cuántos años más soltero, sin dar heredero a estos reinos que tanto lo necesitaban.

CAPÍTULO DIECISIETE

¡Qué débiles se muestran los caballeros cuando están enfermos! Lo que la mujer sufre en silencio, el hombre lo grita el mundo. Un simple resfriado los asusta como si de la visita de la muerte se tratase. Más temor demuestran ante la falta de salud que ante un ejército bien formado dispuesto a machacarlos. Y precisamente allí es donde a Carlos le hubiese gustado encontrarse, y no encarcelado en la pequeña villa de Madrid, tumbado en su lecho, abotargados los ojos, encarnada la nariz y con un pésimo humor que me empujaba a dejar la estancia a menudo.

Estornudó y me pidió un pañuelo con el que sonarse.

—Siempre velando por mí, ¡como mi ángel custodio!

—Mejor un ser alado que esas repugnantes secreciones que no parecen querer abandonarte.

Tras mi respuesta le miré despectivamente, y cuando ya estaba pensando otra vez en marcharme, un acceso de tos se apoderó de su pecho dificultándole la respiración.

Me asusté, pues las calenturas habían arreciado toda la noche.

Con los ojos plagados de venas encarnadas por el esfuerzo, me miró arrepentido.

—Perdonadme, Leonor, la dolencia me nubla el juicio.

Me acerqué, le puse otro almohadón que lo incorporase más y tomé asiento.

—¡Lástima que todavía no esté en hora de pensar en el matrimonio! Vuestro lugar lo debería ocupar otra dama. Habría de ser cauta como vos, superándoos, eso sí, en dulzura. Que no tenga nada que ver con todas las que me ofrecieron anteriormente.

Me sorprendió, como cada día.

Los insultos los cambió por halagos, pero ¿por qué sacaba el tema ahora? ¿Sospechaba algo de mi entrevista con el embajador inglés?

Antes de decidirme a dar ese paso intenté en muchas ocasiones sacar aquel asunto a colación, pero siempre lo evitaba y alteraba el rumbo de la conversación con gran habilidad.

Su preocupación principal estaba anclada en la guerra que se había de librar contra Francisco de Francia, y sin embargo, ahora acometía con un negocio muy diferente al que habitualmente tratábamos.

Quiza sólo quería retenerme a su lado conversando de algo que me interesara.

—Es extraño que digáis eso. No os debéis de encontrar

118

tan mal si pensáis en ello justo ahora que la enfermedad os tiene encadenado al lecho –respondí por tanto.

–Precisamente, porque todavía falta tiempo para la decisión es posible evitar equivocaciones. Hasta que la razón de estado me obligue a unirme a alguna fea prima, seducid mis oídos con las cualidades que vuestro ideal debería tener. Os advierto que han de ser mucho más profundas que las usuales y os ruego que no me aburráis con sermones moralistas, obligados y cabales, que sólo logran cerrar mi entendimiento. Pues en mi mente están ya borrados de tan repetidos.

Lo miré indecisa.

Tomé aire, merecía la pena intentarlo.

–No me lo ponéis fácil, mas imagino que debería ser pura y bella, educada, hablar el idioma de esta tierra perfectamente y, lo más importante, que os quiera y respete. Pero no sólo eso, su corazón ha de ser tan grande que por amar, ame a Vuestra Majestad.

Carlos abrió los ojos y sonrió.

–¿Me tomáis el pelo? Me admirará, me respetará o me deseará, pero ¿amarme? Además, olvidasteis lo fundamental, y eso que os he dicho que no seáis moralista. No has mencionado nada de la dote.

Me malhumoré.

–A veces os mostráis cerril y corto de entendimiento. Si me obstino en esta empresa es porque creo que, sin olvidar los deseos, deberíais pensar en las posibilidades sentimentales. ¡Basta que le deis una oportunidad al corazón!

Carlos sonrió y estirando el brazo tomó mi mano.

–No suponía que estuvierais todavía tan apegada a esas cosas. Alegrad esa cara angustiada porque ya casi acabáis de convencerme de que debo casarme. Ahora sólo falta encontrar a la candidata.

Pero pasadas las fiebres Carlos dejó de lado otra vez el tema de sus desposorios y volvió al centro de sus preocupaciones. Francisco de Francia había logrado, como era su deseo, convertirse en su peor pesadilla. Tanto odio guardaba hacia mi hermano que buscaba y se aliaba con todos sus enemigos sin medir las consecuencias.

Su más reciente triunfo en estos acuerdos nos dejó sorprendidos.

Nuestro papa Adriano había fallecido, no sin antes concretar y conseguir la unidad de todos los reinos católicos frente al turco. Sin embargo, su sucesor Clemente, el séptimo de este nombre en el pontificado, no mostraba ningún afecto hacia Carlos y no tardó en demostrarlo, pactando con Francisco.

¿Por qué los grandes gobernantes, que alcanzan el poder por elección y no por herencia, tienden a destruir los proyectos de su antecesor? ¿Rivalidad, miedo al fracaso o ansia de protagonismo? Nunca lo he sabido, pero así ha ocurrido siempre y así continuará. Inteligente sería aprender y tomar del anterior sus aciertos, mas supongo que la vanidad ciega y en esto Dios nada puede hacer.

Todos sabían que Francisco deseaba el norte de Italia, al cual no tenía derecho. Y muy cerca estaría de conseguirlo si mi hermano no lo impedía. Pero para ello necesitaba dinero. Mientras tanto se apoyaba en su aliado, Enrique de Inglaterra.

Cuando, de pronto, ocurrió algo terrible.

El rey inglés, que se encontraba preparado para atacar a los franceses, se quedó sin medios para pagar a sus hombres.

¡A unas pocas leguas de su competidor en vanidad y lujuria y tener que esperar!

Carlos no se amilanó.

Es más, como en todos los momentos de gran dificultad se creció. Y llegó a cuajar en palabras lo que desde hacia tiempo rumiaba su pensamiento.

El «gran plan».

Una Europa unida bajo la autoridad del emperador y del Papa, la tan cara *«universitas christiana»* de los teólogos.

Pero la paradoja, y en ello se calcaban las palabras del astrólogo, era que para lograr esa *«pax christiana»* hacía falta la guerra. Y dineros, siempre dineros (como frecuentemente le ocurría a Carlos, el hombre más poderoso de Europa y el más necesitado de los banqueros, de los Fugger, los genoveses). Ante la imposibilidad de recurrir de nuevo a ellos no le quedó más remedio que apelar a las Cortes.

Dado que hacía tiempo que éstas no otorgaban fondos, Carlos creyó que ahora sí lo harían, con tal de que admitiese no conceder más hidalguías –bien sabido es que estos hidalgos andan exentos de pagar tributos, lo que contribuye a menguar las arcas–, que no vendiesen más cargos públicos y que se prohibiera el vagabundeo a los pobres.

Pero no se los concedieron.

Del cielo en el que se encontraba planificando la «*pax chistiana*», mi cambiante hermano cayó en la más profunda de las postraciones.

Sus generales podían convencer a los guerreros españoles de servir a la patria y al emperador sin prebenda a cambio, pero había que movilizarlos y alimentarlos. Y para ello se necesitaba siempre dinero.

Es verdad que podía, a lo sumo, empeñar sus alhajas con el propósito de reclutar soldados alemanes, cosa que los más importantes jefes de sus tropas también hacían, pero sabía que aquello no saciaría ni siquiera un poco el hambre de sus hombres.

Había llegado mi momento de actuar.

CAPÍTULO DIECIOCHO

De acuerdo con Gattinara hice llegar un mensaje al embajador de Inglaterra para que viniera a verme de nuevo.

Entre yema y yema –el embajador era otro de los diplomáticos que compartía el gusto por los dulces españoles del canciller– me cercioré de que la dote de María Tudor fuese tremendamente suculenta, como se decía.

El embajador me confirmó que era la misma que nuestros abuelos católicos le habían dado a Enrique con motivo de su matrimonio con nuestra tía Catalina de Aragón, dote que se había acrecentado merced a los buenos oficios de los banqueros florentinos.

Mas entraba dentro de la lógica, y el embajador así me lo insinuó, que Enrique, necesitado de dinero como estaba, pudiera recurrir a ese preciado fondo para hacer frente al pago de sus tropas en cualquier momento.

Antes de que se marchara, di a entender al embajador que, dada la susceptibilidad de mi hermano respecto al tema, se esmerara en que esa información no trascendiera.

Me dirigí hacia la sala de armas en busca de mi hermano. Orgullosa y casi segura de lograr mi «pequeño plan» estaba, cuando la visión que en ese momento tuve de él me exasperó al punto de pensar que no se merecía tanto esfuerzo de mi parte.

Carlos había ordenado reproducir con una maqueta el asedio de Pavía.

—Es el regalo que me he hecho por mi pasado cumpleaños —dijo—. Dado que el emperador no puede reunirse con los suyos en esta contienda, he acercado la batalla a mi regia persona. Así, he logrado sosegar mi ánimo y me siento más cercano a ellos.

Miré aquella monumental maqueta, sorprendida.

Había hecho reproducir también los pueblos circundantes, los molinos e incluso nieve artificial cubría los picachos vecinos.

Envanecido por su creación, con una fina vara de plata, más como un adolescente que como un dux inspirado por un plan divino, empezó a explicarme.

—Veis, en vanguardia va la caballería ligera. Le sigue Carlos de Lannoy con sus armas doradas y blancas.

Inspiró levantando la nariz y continuó.

—Borbón con setecientas lanzas, sigue al anterior. Tras él va Pescara, armado con una celada borgoñona sobre su

124

caballo tordillo. Mantuano, creo que se apoda. Lo acompañan seis mil infantes españoles.

—¡Sabéis hasta el nombre de los caballos! —exclamé irónica.

Abrió los ojos sorprendido.

—Conozco más detalles que los que allí luchan.

Al señalarlos con la vara, tres de ellos cayeron sin remedio.

Se impacientó.

Me recordó aquella lejana fiesta de cumpleaños en la cual demostró su gran capacidad dramática. Pero con una diferencia clara. Los protagonistas no eran personajes ficticios con los que el autor juega a su antojo, sino seres humanos reales que a punto de mostrar todas sus cualidades bélicas sin el menor reparo estaban.

Muchos de ellos desaparecerían de la maqueta y Carlos no parecía plantearse que también lo harían de esta tierra.

Observé a mi hermano con otros ojos.

Ante aquella escena se creía un Dios, dirigiendo el mundo y el destino de todos.

—Perdonad que os arruine la fiesta —le dije—. Necesitado de dineros como estáis, cuando la escasez de víveres acose a los soldados, ¿sabéis dónde hallarán pan?

Su ira iba a estallar, cuando un correo irrumpió en la sala.

Carlos cambió de inmediato su absurda actitud y con una sobriedad absoluta bajó de su nube para recibir la carta.

La alegría y el ímpetu anteriores desaparecieron y sin decir palabra salió de la sala y entró en la capilla lateral.

Me quedé en mi lugar mirándolo.

En su reclinatorio, en absoluto silencio, oraba fervientemente.

En breves minutos salió y se dirigió al correo, que aún aguardaba.

—¿Cuándo aconteció?

—El día de san Matías y vuestro aniversario, señor.

—Salid y aguardad, pues una réplica habéis de portar.

Quedamos solos en la estancia.

Carlos me miró, contempló serio la maqueta, cogió la vara plateada y arrojó a un lado la figura que representaba a Francisco de Francia, tirando al suelo a todas sus huestes.

Sonriendo, lo dejó todo sobre la mesa y agarrándome de la cintura me levantó en el aire.

—¡Hemos arrasado al enemigo!

Cuando por fin me dejó en el suelo soltó una carcajada.

La verdad es que había olvidado lo bien que se siente el espíritu cuando se libera de composturas.

—Tan alegre estoy que no pienso enojarme por lo que habéis dicho.

Se sentó, cansado por el esfuerzo.

Lancé mi estoque.

—No os habría dicho algo preocupante sin haber pensado antes en su posible solución. ¿Estáis de acuerdo en que, ahora más que nunca, necesitaréis dinero para continuar con vuestro «gran plan»?

—Sí. Sabe Dios que para luchar contra el infiel necesito antes que reine la paz en Europa.

–Entonces, ¿no creéis que va siendo hora de que vuestro futuro suegro, el padre de María Tudor, os adelante la dote?

Días más tarde toda la nobleza, los embajadores y alto estamento, se encontraban en la sala de la audiencia, deseosos de felicitar a Carlos. Pero éste rogó que se dieran gracias a Dios por el triunfo, prohibiendo cualquier regocijo público por la detención del rey Francisco de Francia, su más encarnizado adversario.

Llegado el prisionero al puerto de Rosas, Carlos ordenó que fuese trasladado de inmediato a Madrid.

Y haciendo honor a su caballerosidad, rogó a los nobles que a su paso por sus casas y palacios durante su viaje, lo recibieran como la real persona que era y no como a un simple villano. Que la fuerza de un gran señor más se demostraba agasajando que maltratando. Pues gran castigo llevaba ya el rey francés sobre sus espaldas.

Luego se celebró una misa en Atocha y pese a todos los que se morían por un festejo, no se conmemoró la victoria de ninguna otra manera.

Pero ello no justificaba el apesadumbrado semblante de Carlos.

–¿Qué os ocurre? –le pregunté al salir de la iglesia.

–Un problema nuevo nos acosa, el poder supremo tenía que enfrentarnos alguna vez con nuestros aliados. La envidia es un defecto achacado a los pobladores de estos lares por todos los estados vecinos. Sin embargo, aquellos que más les acusan son los que más la padecen.

—Por favor, ¿podéis ser menos críptico?

—El embajador inglés me ha dicho que Enrique no puede adelantarme un solo ducado de la dote de María. Dice que los necesita para pagar a sus soldados y consolidar su parte en la victoria.

Traté de contener mi alegría y con la voz más apesadumbrada que me fue posible, sentencié:

—Siendo así, no podéis hacer otra cosa que romper vuestro compromiso con ella.

—Muy en lo cierto estáis, hermana. Lo siento porque su dote era enorme y me habría sido muy útil en estos momentos. Pero me alegro en parte, porque cuando la vi en Inglaterra, aunque todavía niña era, no presagiaba ser una belleza. Ha reunido los defectos físicos del lado inglés con los españoles de nuestra tía Catalina, la pobre.

Por un momento estuve a punto de recordarle que había una princesa casadera más rica que María Tudor y más bella y noble, pero le dejé continuar.

—Y hablando de ducados. Quiero que seáis testigo de la forma en que son capaces de gastarlos en estas tierras.

»El duque del Infantado, para festejar el triunfo de Pavía, ha decidido ofrecerme una fiesta en su palacio de Guadalajara. Desearía que os adelantaseis. Además, allí os encontraréis con una sorpresa que os tengo preparada.

CAPÍTULO DIECINUEVE

En las callejas que conducían al palacio había una enorme actividad. Damas alcarreñas colgaban en sus balcones gualdrapas y banderines con las armas ducales para recibir a los caballeros.

Los más humildes engalanaban sus casas con colgaduras y desempolvaban los más ricos paños según su condición.

Maestresalas y mayordomos trajinaban y lo ordenaban todo sin omitir detalle. Practicaban sus oficios desde pajes a azafatas. Los danzarines ensayaban en el patio al igual que los trompeteros. Estos últimos amenizaban con su música el costoso trabajo de los demás.

El servicio bruñía con empeño el oro y la plata, y de las nogaleñas arcas se sacaban soberbios tapices para decorar las galerías y estancias en el palacio.

Al fondo y bajo palio salió el duque, que intentó levantarse. No pudo y dos de los que supervisaban esa labor le ayudaron.

Los nobles Mendoza gobernaban y dominaban tierras en todo el Imperio. Unos, después de navegar hacia tierras desconocidas, fundaban ciudades en las Indias. Otros, cuidaban con sus huestes las italianas, y otros lo hacían en estos mismos estados.

En ese momento me encontraba ante el cabeza de todos ellos. Consciente era de que muy a nuestro pesar los necesitábamos. Éstos lo sabían aunque nos aceptasen y jurasen como súbditos.

Al estar frente al duque, pedí asiento, ordenándole que me imitara. La gota le producía fuertes dolores y en ocasiones le mostraba destemplado y agrio. Esa enfermedad no era desconocida para mí. La tuve que tratar en algunos miembros de nuestra familia, incluido Carlos, durante la mayor parte de mi vida. Aquello hizo al jefe de los Mendoza un poco más humano a mis ojos.

El emperador llegaría poco después, acompañado de los infantes de Guadalajara, que regresaban junto a sus familias después de la gran victoria. La curiosidad, el alborozo y el entusiasmo ardían en el ánimo de todos.

El duque no pudo salir a recibir al cortejo a causa de su estado. Pero cuidando el protocolo debido al acto mandó a su hijo mayor, conde de Saldaña, a cumplir con aquella importante empresa.

Podría haber ido con él pero opté por esperar junto al anciano, que con los pies vendados aguardaba la llegada de la comitiva.

130

Vestidos con las mejores galas y en silencio esperábamos, como muñecos inanimados, la aparición de Carlos. Mujeres y niños en realidad soñaban con ver a sus maridos, padres y hermanos guerreros regresar con vida.

El duque, aunque fuese agosto, portaba un vestido de terciopelo bordado en oro y plata y por debajo del collar del Toisón un gabán corto forrado de martas.

Cuando era niña, una de mis ayas me explicó que la edad enfría el cuerpo de nuestros mayores. Porque la muerte se regodea con una lenta tortura que congela nuestros cuerpos poco a poco, hasta que éstos un día se enfrían para no calentarse jamás. Aquellas palabras me marcaron y algo de cierto habría en ellas, pues al viejo duque el calor no le afectaba.

Los cañones a las afueras atronaban con sus salvas. Las trompetas y atabales comenzaron a sonar y las campanas de varias iglesias tañían sin cesar tocando a gloria.

El patio del palacio estaba atestado de gente. Las galerías superiores se encontraban repletas y aquello me indujo a pensar que las caprichosas columnas en espiral quizá no pudiesen sostener el peso.

Todo andaba abigarrado y la muchedumbre junto a los muros sólo respetaba la mullida alfombra que guiaría al emperador hasta donde estábamos.

La comitiva apareció y subió las escaleras. Vítores de bienvenida, dirigidos a sus hombres, ausentes desde hacía muchos meses, acallaban, gracias al Señor, los pocos abucheos.

Al frente don Íñigo, hijo del duque, acompañaba a mi hermano.

Quedé impresionada al verlo.

Era como si la victoria de Pavía hubiera no sólo acrecentado su poderío sino operado en él una transformación física desde que lo dejé. Nunca a mis ojos había sido guapo, pero en ese momento lo encontré seductor.

Pensé que Isabel jamás me agradecería lo suficiente el favor que le estaba haciendo.

Mi hermano se acercó y saludó sin descubrirse.

El duque intentó corresponder al saludo, pero sus deformados huesos se lo impidieron.

Un paje hubo de destocarlo.

El pantagruélico banquete comenzó y el baile que le siguió se dio en jardines iluminados y decorados a la veneciana. El perfume de sus flores y el calor de aquella noche embriagó a muchos y la rectitud del comportamiento empezó a doblegarse.

Carlos, después de flirtear con muchas de las melindrosas damas que había por allí, se me acercó.

Mis ideas estaban claras, pero mi labor de celestina no debía de pasar tan inadvertida; porque él acababa de descubrirme observándolo detenidamente a pesar de que disimulé mi proceder.

–Vuestra compañía me honra más que ninguna otra dama en este palacio –sonrió.

–No seáis tan embaucador y decidme la verdad. ¿Qué os parecen estas damas?

Me contestó de inmediato.

–Las preferiría más desenvueltas, pero es lo que hay. En cambio, vos no habéis acabado de ver a todos los presentes.

Una mano se posó en mi hombro.

–¿Me concedéis el siguiente baile?

¡No podía ser! El dueño de aquella voz estaba lejos. Quedé petrificada mirando al frente.

Cuando conseguí reaccionar y me di la vuelta mi corazón se aceleró y no pude evitar abrazar a Enrique de Nassau, pues de él se trataba.

–Dado que os veo muy alegre con esta nueva compañía, me voy en pos de otra hermosa dama –dijo Carlos.

Acaricié el rostro de Enrique, olvidando dónde nos hallábamos. Supongo que mi amor por él resurgió. Nassau, con gran delicadeza, apartó mi mano de su cara y habló en susurros empujándome hacia la realidad.

–Comportaos, os lo ruego; mi esposa no ha de encontrarse lejos y sois uno de sus puntos de mira.

Di un paso atrás.

–¿Vuestra esposa? –pregunté sorprendida, pues sabía que había enviudado de la insoportable Claudia.

Enrique apartó disimuladamente uno de los mechones que de mi toca se escapaban.

–Claudia murió hará dos años. Vi claro que algo arrastraba a nuestro emperador hacia estas sureñas tierras. Nunca sabré por qué. La España lejana que antes vuestro hermano parecía abominar, lo atraía sin remedio y eso es algo que cada vez percibimos más. Sus tierras natales, cuajadas

133

de problemas, ensombrecen su ánimo y los asuntos de aquí parecían ya solucionados.

»De modo que me acerqué a estos estados antes de que me mandara a otro lugar apartado de su vasto imperio. La forma más fácil era buscar a una dama de mi condición para casarme de nuevo. La encontré gracias a la ayuda de vuestro hermano.

Por su tono, Enrique parecía muy feliz.

Sentí que el mundo se derrumbaba ante mis efímeras esperanzas. Durante un instante mis vanas ilusiones me engañaron haciéndome pensar que por fin coincidíamos en el mismo estado.

Habiendo enviudado ambos podríamos haber contraído matrimonio sin ningún tipo de reproche, puesto que yo ya había cumplido con mi cometido en Portugal.

Una joven de unos dieciséis años se presentó ante mí, cortando de raíz aquella dolorosa conversación.

—Soy Mencía de Mendoza, sobrina de nuestro anfitrión. Vuestra Alteza no me conoce, pero bien veo que admiráis a mi esposo y eso me enorgullece.

Sonreí falsamente. Su juventud y hermosura ensombrecían mis casi treinta años.

Aquella niña, sin ningún tacto, continuó:

—Vuestro hermano anda enamorando a todas las damas. Pero la que ha quedado más impresionada es mi prima doña Brianda. Tan prendada está de él, que asegura que a su partida se enclaustrará como monja si no consigue su propósito.

La necia confidencia fue acompañada de una risita juvenil y estúpida.

Me retiré con la cabeza llena de pájaros difíciles de acallar.

Pensaba en Enrique y al instante comprendía que mi misión ineludible era casar a Carlos.

Era claro que por más nobles y ricos que fueran los Mendoza, mi hermano no olvidaría nunca que su destino estaba en buscar esposa entre las casas reales. Pero un amorío, y seguramente un hijo, con doña Brianda, quién sabe si no harían más lentas las bodas imperiales.

Me di cuenta de que debía jugarme el todo por el todo. Fui hasta donde estaba Carlos y le dije que tal vez doña Brianda fuese más bella que mi candidata, aunque no mucho, pero seguramente no era tan rica.

–¿Tienes algo más que decir? –me preguntó mi hermano con ese tono de voz frío que sabía usar para herirme.

Los festejos continuaron. Se lidiaron toros jarapeños por caballeros montados. Al finalizar éstos, el duque sacó de las leoneras a sus ya conocidos animales.

Un gran espectáculo se fraguó en pocos instantes.

A pesar de que mis preocupaciones me llevaban a tener a mi hermano bajo control quedé impresionada, pues nunca mis ojos habían visto antes semejantes felinos.

Más armados y fieros que los jabalíes que Carlos mataba en sus cacerías, pues de garra y dientes andaban sobrados.

De pronto una empalizada se rompió, y una de las fieras escapó. Hombres y mujeres huían despavoridos escondiéndose en las piezas más secretas del palacio.

Corrí junto a ellos y entre tanto alboroto subí a una de las estancias. Los rugidos del animal se oían en el centro del patio, pero muy amortiguados por los gritos de las aterradas damas.

Cuando asomé la cabeza vi a mi hermano besar a doña Brianda para luego dejarla inmediatamente, como una pétrea figura que, con los ojos cerrados, intentara retener aquel momento fugaz en su memoria.

Sin poder remediarlo, salí de mi escondite y me dirigí a ella.

Al intuir mi presencia abrió los ojos y el miedo de haber sido descubierta en su máximo pecado la aterró. Quedó muda, suplicándome con la mirada la complicidad de su secreto.

Gritos de algazara sonaron en el patio y las dos nos asomamos a ver lo que ocurría. Apoyadas en la ornamentada barandilla del piso superior vimos cómo Enrique se dirigía hacia la bestia, con un hachón encendido en la mano izquierda y la espada desenvainada en la otra.

Atemorizó al león con el fuego y, una vez acorralado, lo agarró de la melena. Así lo llevó a través del patio y las callejas hasta la leonera, donde lo encerró de nuevo. Nunca había visto en Nassau tantísimo valor.

¿Por qué no lo usó cuando se enamoró de mí? Con tristeza pensé que, a veces, los varones más valientes se convierten en corderos cuando piensan en sus intereses.

Eso me hizo volver a la realidad.

Miré a doña Brianda, que seguía soñando despierta.

Le dije:

136

—Olvidadlo, señora, pues sé que en el fondo sois consciente de la imposibilidad de este negocio. Si os empeñáis en él, sufriréis como yo lo he hecho durante años.

No me contestó. Simplemente se fue caminando con pasos lentos y ausente de todo lo que a su alrededor ocurría. No la volví a ver. Pero pasado el tiempo supe que se enclaustró como clarisa, y fundó un célebre convento llamado de la Piedad, muy cerca del palacio de Guadalajara.

En cuanto a Carlos, no pronunció más palabra hasta que llegamos a Madrid. Como le noté impaciente pensé que ardería en deseos de encontrarse con Francisco, que había sido encerrado en prisión, apenas llegado de Pavía, pero me equivoqué. Lo primero que hizo fue llamar a Gattinara para que se aceleraran los trámites en vista a su casamiento con Isabel de Portugal.

CAPÍTULO VEINTE

Por cortesía, se le permitió al rey de Francia salir unas horas de prisión y Carlos me pidió que lo acompañara.

Francisco había desmontado en las cercanías de Manzanares para dar un paseo a pie.

—Señora, decid a vuestro hermano que acepto de buen grado estos paseos por el campo rodeado de escolta, pero que hay algo que me pesa y sorprende más que los grillos y es el desaire recibido al no ser visitado por él. Carlos me trata como a un vulgar preso.

No podía confesarle que mi hermano no había podido ir a verlo por encontrarse en las Cortes de Toledo, tratando el asunto de su matrimonio con Isabel. Era seguro que el francés guardaba como baza el ofrecer a Carlos una de sus hijas en matrimonio. De hecho, se había parlamentado sobre ello en alguna ocasión. Pero aquella candidata había sido arrinconada en el mismo lugar donde lo fue María de Inglaterra, al conocerse que su dote también estaba medio empeñada por las guerras de su padre.

Al final, la triunfadora había sido mi antigua hijastra. No sólo me sentía orgullosa porque mi «pequeño plan» había dado resultado, sino también satisfecha, pues a pesar de que no conocía a las otras candidatas, estaba convencida de que aquella jovencita que dejé tras de mí en Portugal superaba con creces a todas.

–No olvidéis que preso estáis –dije a Francisco saliendo de mis elucubraciones–. Tendréis que comprar vuestra libertad y por mucho que os cueste creerlo, todavía vuestra madre no se ha dignado contestar el requerimiento.

Quedé silenciosa atisbando un nido sobre una encina y dudando si revelar lo que a continuación diría.

Proseguí:

–Para ser sincera, rectifico lo anterior. Vuestra madre replicó nuestras pretensiones. Muy desacertadamente. Pues olvida sin duda la situación de desventaja en la que os encontráis. No pretendemos conseguir un simple tratado. Lo que se pide es de cumplimiento obligado y no se ha de someter a diálogo o pacto.

El rey francés fue a contestar, pero en un segundo perdió el sentido.

Intenté sujetarlo, pero en vano.

Tendido sobre la hierba temblaba sudoroso, mientras llamamos a la guardia, que presta acudió.

Su hermana y yo permanecíamos en la antecámara de la prisión esperando el veredicto de los médicos. Ella por amor fraterno, yo para comunicarlo a Carlos.

La princesa me miró con furia y gimió de nuevo. Aquella mujer vestida de luto por la reciente muerte de su marido a manos de nuestros soldados en la batalla de Pavía, estaba llena de rencor hacia nuestra corte.

En ese momento la puerta se abrió de golpe y mi hermano apareció.

Sin hablar le dirigí a la estancia del enfermo, al que tres médicos sangraban.

Tantas sanguijuelas tenía colocadas que repugnaban algunas zonas de su cuerpo, repletas de viscosos bultos oscuros.

Carlos ordenó que se las quitasen y lo abrazó.

Francisco se incorporó y, casi inaudiblemente, susurró:

—Veis, aquí postrado yace vuestro esclavo y prisionero.

Carlos replicó:

—No prisionero sino libre. Mi buen hermano y compañero, lo que más deseo es vuestra salud. Y bien podéis ver que ésta se atiende. En lo demás, se hará como vos dispongáis.

Francisco contestó sumiso:

—Querréis decir como vos mandéis. Lo que os ruego y suplico es que entre los dos no haya un tercero.

Dio un fuerte suspiro.

¿Había muerto?

A la llamada de Carlos, la hermana del rey entró corriendo desde la antecámara, se abalanzó sobre Francisco, le besó y le santiguó.

Carlos se encogió de hombros. En su rostro no había pesadumbre, pero sí un claro respeto hacia el difunto mezclado de desazón, porque esa muerte parecía contrariar sus planes.

La princesa ordenó a sus damas el inicio de los rezos. Éstas se disponían a abandonar la celda cuando las paralizó un grito, solicitando silencio.

Era uno de los médicos.

Todos quedamos quietos.

Aquel hombre miraba el cadáver, expectante. La sábana pareció moverse y el sanador sacó de su bolsillo un pequeño espejo. Lo pegó a la nariz de Francisco y milagrosamente se empañó.

Cuando salimos, no pude contener una pregunta.

—Carlos, aclaradme lo que le dijisteis. ¿Pensáis acaso dejarlo en libertad?

No me contestó.

—Por Dios, decídmelo.

Sin mirarme, siguió andando.

—Más vale vivo que muerto, Leonor. Si le doy la libertad y sana en sus estados, nos mostrará más agradecimiento que rencor. Aunque, si os soy franco, no estoy muy seguro de dejarlo partir.

—¿Faltaríais a vuestra palabra?

Carlos se enfadó porque sabía que no estaba actuando según los códigos del honor en los que decía creer. Aquellos estipulados desde tiempo inmemorial por la costumbre, para los que la palabra dada tenía valor.

Me contestó indignado.

–No quiero hablar más de ello. De todos modos, Francisco incumple sus promesas con frecuencia. El que yo caiga en esta falta una sola vez, no es relevante. Lo importante es que sane, sea como sea. Porque un prisionero muerto pierde su valor de cambio.

CAPÍTULO VEINTIUNO

Pocos días después la hermana del rey francés solicitó ir a ver al emperador, que se hallaba en Toledo, pues tratar de la libertad de Francisco quería. A pesar de que se mostraba desagradable y distante conmigo decidí acompañarla.

Apenas llegamos la princesa se entrevistó con Carlos. La conversación para mí fue vedada pero la curiosidad me invadía. Sobre todo porque en una pequeña discusión que aquella señora y yo tuvimos durante el viaje, me insinuó que yo había de tratarle con más respeto en vistas al futuro.

Diez días pasaron sin que pudiese hablar con Carlos y sin que me aclarara qué era lo que acontecía. El acuerdo con Portugal estaba casi cerrado y Carlos ya estaba pensando en cómo utilizar la dote de Isabel para la guerra.

Sentados en su antecámara del Alcázar, yo bordaba y mi hermano leía. No andaba de buen humor pues una de sus monterías se había cancelado debido a las inclemencias del tiempo.

Sin levantar la mirada de mi labor, rompí el silencio.

—Cuando vine y durante el trayecto la princesa Margarita dijo que había de guardarme de ella. ¿Sabéis a qué se refería?

Carlos me miró sonriente.

—Lo que ellos quieren es la Borgoña, y como bien sabe que nunca la recibirán de mis manos estarán pensando en la fórmula de siempre. Si Francisco se casara con vos, la Borgoña sería vuestra dote.

Quedé estupefacta y sólo pude balbucear:

—Pero ¿por qué siempre soy yo la que ha de servir de moneda de cambio?

Carlos soltó el libro, se levantó, y me acarició la mano. Un gesto de afecto tan poco usual en él que terminó por pincharse con la aguja.

—No os preocupéis. Margarita nunca podrá hacer que su voluntad pase por encima de la del emperador. Ellos saben cuánto os aprecio.

Aquel comentario de Carlos pareció un elogio. Sin embargo, conociendo su manera de actuar, no me tranquilizó.

Meditaba sobre mi probable destino cuando una de mis damas solicitó permiso para comunicarnos algo urgente.

—Tengo noticias de que el rey francés está planeando escapar.

Carlos soltó una sonora carcajada.

Estuve a punto de echar a aquella mujer que con tan absurda excusa interrumpía nuestro descanso. Pero Carlos, divertido, me lo impidió y dirigiéndose a ella preguntó:

—Decidme, señora, cómo puede ser eso. Difícil veo que

el prisionero huya impunemente de tan robusta Torre de los Lujanes.

La mujer inspiró.

–Piensan hacerlo pasar por un esclavo negro, que a su servicio está. Éste llegará mañana por la noche con un haz de leña. La guardia lo dejará entrar, como siempre. Nada más cerrarse la puerta el rey saldrá de su lecho caliente, para brindárselo al esclavo a cambio de sus ropas. Se tiznará todo el rostro y saldrá por el mismo lugar por el que accedió el subyugado.

Carlos quedó pensativo para luego decir:

–Menosprecian a los carceleros. De todos modos, las medidas de seguridad nunca están de más, sobre todo ahora que Francisco empieza a desesperarse, y más lo hará en cuanto ordene su siguiente traslado. Su próxima morada no será tan cómoda: la torre más alta y olvidada del Alcázar.

Pero a pesar de las palabras de mi hermano, el francés intentó el plan. Sólo que el esclavo fue apresado antes de conseguir su propósito y la intención de Francisco se vio frustrada.

Ante todo aquello, la desesperación del rey se acentuó. Tanto, que amenazó con firmar un acta en la cual abdicaría en favor de su hijo.

Esto hizo que Carlos decidiera abandonar Toledo y saliera hacia Madrid. Si Francisco abdicaba, ya sólo tendría a un simple caballero en los calabozos y su precio no sería nunca tan alto como el que él quería.

El primero en romper el silencio fue Francisco.

–Me sorprende que os toméis semejante molestia presentándoos ante mí justo ahora que somos desiguales. Si estáis bien informado, sabréis que en pocos días el regio morador de este lugar se habrá convertido en un simple rey destronado –y diciendo esto se inclinó ante Carlos.

Mi hermano le levantó y con gesto amistoso le pasó el brazo por el hombro, ordenando a todos los presentes que abandonaran la estancia.

Yo me rezagué.

Carlos me miró con reproche.

–Vuestra hermosa hermana vela por vos en todo momento. Y su discreción conocida es –dijo el rey francés.

Sigilosamente me retiré a un rincón donde había una silla y me senté.

–Francisco, ¿habéis pensado qué consecuencias puede acarrear vuestra abdicación? –dijo mi hermano como aceptando el hecho consumado–. Por la simple satisfacción de ver mis deseos frustrados, ponéis a vuestro estado en peligro.

El hasta aquel momento rey de Francia se mantuvo en silencio, sopesando sus verdaderas fuerzas. Finalmente dijo:

–Todavía hay una solución para que no abdique. Mi cerebro andaba embotado, pero antes de firmar mi renuncia, la claridad se hizo y he ideado otro posible canje.

Carlos escuchaba atentamente.

–Aceptaré todas vuestras peticiones, excepto la restitución de la Borgoña, a cambio de mi libertad.

Carlos frunció el ceño y con seguridad censuró:

–No hay pacto.

Me enfadé con mi hermano.

¡Cómo podía precipitarse tanto!

Cuando se obstinaba en algo, no había quien le sacara de su empeño. Estábamos entre la espada y la pared. Teníamos el riesgo de perderlo todo si Francisco abdicaba y ahora que había un rayo de esperanza, él lo tapaba con terquedad.

Francisco comenzó también a irritarse.

—¡No me dejáis finalizar! Se diría que no deseáis llegar a ningún acuerdo. Perdonad, pero me exaspera tanta divagación.

Suspiró, y en susurros, como si para sí mismo hablase, dijo:

—A la Borgoña podría renunciar...

Quedé perpleja.

Mi desconfianza hacia aquellas palabras era clara.

Pero ¿pensaba Carlos como yo?

Mi hermano contestó:

—Paz y amistad perpetua entre los dos, libre trato y comercio entre nuestros estados...

Francisco miró hacia el lugar donde yo me encontraba. No parecía tan humillado y apaleado como seguro debía estar. Muy al contrario, me sonreía.

—Para asegurar nuestra paz y solidificar la amistad será necesario un enlace —dijo.

Mi corazón menguó de inmediato.

Carlos, entendiendo la solicitud, se limitó a responder:

—Así sea. Os la entrego como símbolo de nuestra reciente paz.

Francisco me miró con deseo.

Mi hermano ni siquiera me miró.

Me levanté corriendo y volé escaleras abajo.

¡Maldito el momento en el que decidí estar presente en aquella conversación! ¡Nada podía hacer contra mi destino sino abandonar el lugar donde mi futuro marido se encontraba!

Celebrado en Toledo por poderes mi desposorio con el rey de Francia, le dije a Carlos que no me importaba regresar a Madrid para cumplir con el acto físico de la unión. Pero mi hermano se negó argumentando que no quería que ésta se consumara hasta que el acta de ratificación viniese de mi nuevo reino.

Era como si mi hermano tuviese la esperanza de que aquel desposorio no siguiera adelante.

Así, a pesar de la insistencia de Francisco y de que ya se me llamaba reina de Francia, no consumé mi unión con él.

Carlos me decía que me mostrara amistosa y confiada, pero al mismo tiempo no dejaba de alertarme sobre la posibilidad de que mi esposo mintiera.

—Más que a él —dijo— te debes a tu emperador.

Al final se despidieron los dos reyes. Mi hermano dejó partir a Francisco, quien mandaría a sus hijos como rehenes hasta cumplir con su cometido.

Carlos quiso enviarme inmediatamente a Francia. Pero a diferencia de la vez en que no me permitió acompañarle a Barcelona, pues yo debía ir al encuentro de mi marido portugués, ahora logré convencerle de que me dejara ser testigo de su boda en Sevilla.

Al fin y al cabo, si la unión con Isabel había fraguado, había sido en gran parte gracias a mis servicios.

CAPÍTULO VEINTIDÓS

Marzo era mes frío en Castilla y, sin embargo, en Sevilla el olor a jazmín y azahar ya embriagaba.

La luz más nítida nunca vista se reflejaba sobre el Guadalquivir cuando lo cruzamos.

Sus gentes, volcadas en las calles y asomadas a los balcones, nos acogieron con vítores y bienvenidas, mucho más fervientes y alegres que los pobladores de cualquier villa castellana, conocidos por su sobriedad y austeridad.

El clima primaveral que se respiraba sin duda enaltecía y alegraba el ánimo de los andaluces. Carlos no podía haber elegido una ciudad mejor para este paso que tanto le había costado dar.

Isabel ya hacía una semana que había llegado y estaba entusiasmada.

Aquella misma noche, a las doce, el arzobispo de Toledo esperaba a los regios novios para desposarlos. Era extraña la hora escogida, pero mi hermano lo quiso así, dado que nuestros padres también lo hicieron hacía ya muchos años en una intempestiva noche.

Por otro lado, la intimidad que la oscuridad otorga despejaría las callejas de fisgones.

Todo estaría menos abigarrado de curiosos y ayudaría a Carlos a conservar la calma. Pues a pesar de andar convencido de su matrimonio éste le angustiaba.

No tuvo reparo en demostrárnoslo a todos los que a su lado estábamos; ya fuera con cambios de humor bruscos y tendentes a la furia o comiendo desaforadamente.

Su nerviosismo y mal comer le llevarían a padecer enfermedad, le decíamos, pero aquello le agradaba y fue difícil convencerle de lo contrario.

Por fortuna, Isabel no quiso verle hasta el momento de cumplir con el sacramento del matrimonio.

Carlos respetó el deseo de su prometida y no insistió. Sin embargo, yo no lo pude remediar y corrí a visitarla unas horas antes.

¡Qué diferencia!

El malestar que transmitía el nerviosismo de mi hermano desapareció en cuanto divisé, apenas traspasado el portón, a la futura emperatriz.

Muy al contrario que a su futuro esposo, a Isabel la rodeaba una aureola de paz, entereza y majestuosidad.

Sentada en el borde del pozo que en el centro de aquel patio había, contemplaba pensativa el fondo.

La luz del sol se filtraba por entre las hojas de los naranjos de su alrededor, topándose con sus brillantes cabellos cobrizos.

El albero parecía haberse tornado oro y contrastaba con su vestido grana.

Una multitud de gorriones escondidos entre el jazmín y la buganvilla acallaban con sus trinos cualquier sonido perturbador de la quietud que allí se respiraba.

Cuando el portón se cerró, levantó la vista y descubrió mi presencia. Corrió a abrazarme entusiasmada, mudando la expresión de su rostro. Sus perfilados labios me dedicaron una sonrisa cargada de bondad y encanto, y me dijeron que mucho le regocijó el saber que acompañaba a Carlos en ésta mi empresa.

—Y digo vuestra empresa pues soy consciente de los esfuerzos que habéis dedicado para que llegara a buen fin. Nunca lo olvidaré.

Cogiéndola de las dos manos las alcé para observarla sin recato de arriba abajo.

Su rostro era más anguloso y elegante que antes.

Pensé que bien valía su dote, pues ningún precio era el justo para tan adorable criatura.

Había cambiado de párvula a dama. Mas un consejo le di. Que jugara con una y otra condición para mejor conquistar a Carlos.

Isabel dio un pequeño brinco para soltarse de una mano y de la otra tiró para llevarme hasta el pozo.

Inclinándose de nuevo sobre éste, me empujó con delicadeza para que mirara y tendiéndome un maravedí me pidió que deseara algo fervientemente y lo arrojara en su interior.

155

Tiré la moneda y mi único deseo fue para Isabel.

Plugiera a Dios darle a Carlos hijos fuertes y sanos, que continuaran en España la obra de los Austrias que nosotros comenzamos.

Ya atardecía cuando puse final a la visita, pues la novia tenía que arreglarse para el evento.

Desganada, partí hacia el Alcázar, donde Carlos debía de estar hecho un manojo de nervios.

A las doce quedaría tranquilo y extasiado al ver a Isabel. Antes de desposarse una mirada de gratitud me dedicó.

A la mañana siguiente, orgullosa, la reina me mostró las sábanas manchadas de sangre y me pidió que fuese yo quien las llevara al balcón donde habría de colgarlas.

Exponiendo al pueblo el rojo de su virginidad, se podía decir que mi misión estaba cumplida.

Carlos tenía a su lado a una mujer digna de ser emperatriz. Estas tierras del sur podían contar con una dama preparada para ser reina.

Creía llegado ya el momento de partir hacia Francia cuando el emperador ordenó nuestra mudanza a Granada, pues, al saber del amor de su esposa por la Alhambra, allí había decidido construir un palacio.

Sentadas en un fresco patio de aquel mágico lugar estábamos, inspirando profundamente el aire que nos rodeaba, como si quisiéramos retener su perfume.

Isabel se levantó para mejor poder ver lo que nos rodeaba.

—Estos parajes me embriagan, me quedaría siempre aquí. Todos los días le pido a Dios que en este lugar podamos residir en nuestra vejez. He pensado que el mejor sitio para el palacio que Carlos desea construir sería frente a la plaza de los aljibes. ¿Qué opináis?

Hacía muy poco tiempo que vivía a nuestro lado y su felicidad y sosiego nos colmaba, al extremo que Carlos parecía haberse desentendido de todos los problemas que aquejaban fuera de Granada.

—Seguro que habéis dedicado horas con Carlos a decidirlo —le dije, sin ánimo alguno de enturbiar con aquella queja su alegría.

Segundos después oímos unos pasos apresurados.

Isabel me miró sorprendida.

En sólo un instante aparecieron los dos emisarios que Carlos había enviado a Francia para recordar a Francisco que cumpliera lo pactado, pues mucho había de perder si no lo hacía.

Albergué la esperanza de que las noticias que portaban fuesen buenas, pues nuestros ánimos andaban en declive. Sobre todo desde que nos comunicaron que nuestro cuñado, el rey de Hungría, había sido ahogado en Buda por los turcos.

Al oír voces preguntando por él, Carlos bajó de sus aposentos.

Los dos caballeros se acercaron al emperador y le entregaron una carta.

Carlos la leyó con suma atención para luego exclamar:

—¡Vil! ¡Bellaco! Si me permito esta licencia no atento al

honor y la caballerosidad, pues él me la otorgó si faltaba a su palabra.

A mi mirada preocupada respondió:

—Muy seguro se muestra ese mentecato de vuestro marido con las alianzas que con mis enemigos firmó. Pues bien, si eso es lo que desean, concedámosles tanto a ese soberano sin fe y honor como al ambicioso Medici que ciñe la tiara sus anhelos sin más dilaciones.

Isabel se agarró a mi brazo. Cuanto más se alteraba Carlos ella más apretaba.

Me susurró:

—Carlos no sabe lo que dice. ¡Si se enfrenta al papa Clemente corre el riesgo de ser excomulgado!

Le pedí silencio y en un tono más bajo le contesté que poco sentido tenía contradecir a su esposo, pues si Carlos se obstinaba en algo al final acababa no sólo por intentarlo sino también por conseguirlo.

Acalladas las débiles y sumisas protestas de sus enviados, que equívocas me parecieron, Carlos habló de nuevo con ímpetu:

—Partiréis de inmediato a Nápoles con siete mil hombres y os encontraréis en Roma con Moncada. Éste convencerá al cardenal Colonna para que nos ayude. No lo dudará ya que aspiró a la tiara y se siente pretendiente burlado por el dinero de los banqueros florentinos. Guarda resentimiento hacia Clemente y está deseoso de destronarlo.

»Mandad también aviso al condestable —prosiguió—; es seguro que ayudará gustoso, pues creo que sus hombres andan desesperados y hambrientos en Lombardía, y han de estar deseando partir hacia otras comarcas más ricas.

A pesar de lo peligrosas, esas órdenes mostraban al mejor Carlos, activo y emprendedor. Pero apenas los emisarios se marcharon, mi hermano bostezó con los ojos cerrados y, apoyado en el murete del mirador, los abrió de nuevo para comentar sus ideas sobre el palacio que en poco tiempo comenzaría a construir.

Estaba claro que no deseaba marchar y quería permanecer al lado de su esposa, por lo menos hasta que Isabel quedara preñada.

A pesar de su habitual discreción comprendí enseguida que aquello no gustaba en absoluto a la reina, sumamente preocupada por el curso que estaban tomando los acontecimientos.

¡Más que difícil era todo! Y qué falta de recursos me encontraba yo para actuar en este caso.

Pues era evidente que Carlos, siempre resbaladizo ante mis discursos sobre el amor, y con una visión eminentemente política del matrimonio entre personas de sangre real, se había enamorado de Isabel con la fuerza de los conversos, y los asuntos de gobierno sólo le producían ligeros enfados.

CAPÍTULO VEINTITRÉS

La reina era consciente de que sus deseos no eran compatibles con las obligaciones de Carlos. Después de más de medio año en Granada, ya andaba preñada de unos cuatro meses y consideraba que era deber del emperador ocuparse directamente de las luchas de su imperio, sobre todo en Italia, desde donde las noticias llegaban a raudales.

Pero Carlos se limitaba a relatarnos durante las cenas lo que a su vez había escuchado en los almuerzos de boca de sus secretarios.

Yo ya estaba del todo acostumbrada a oírle hablar como si en el frente se hallara. Pero a Isabel le molestaba el tono con que su esposo se regodeaba de las victorias de otros en privado.

Nunca podré olvidar el tono con el que nos refirió que Moncada estaba por entrar en Roma con un ejército tan grande, que Clemente Medici sólo encontraría tranquilidad si se refugiaba en el castillo Sant' Angelo.

Carlos detallaba los preparativos sin mirar siquiera a Isabel, convirtiendo la cena en un monólogo que nadie osaba interrumpir. Pero el descontento de la reina era evidente. Muchas veces le había dicho que ella no estaba en condiciones de opinar, pero creía que el atentar contra el Sumo Pontífice no podría ser bueno para nuestra salvación.

Carlos prosiguió:

–He solicitado en las Cortes ayuda para esta empresa. Pero, como siempre, los nobles se han mostrado sumamente reticentes a menguar sus arcas. Me contestaron que si estuviera allí presente todos volcarían sus haciendas en mi favor, pero como no era así, me rogaban que no osase pedirlo siquiera. ¡Qué sinsentido! ¿Acaso no saben que el estar frente a mi ejército es lo que más ansío? Si no estoy allí, es precisamente por afianzar mi reinado en estas tierras.

El tono de Carlos era orgulloso y soberbio, como si quisiese herir a algunos de los aludidos, que con nosotros compartían la cena.

¿Dónde estaba oculta aquella sensibilidad que muchas veces me demostró? ¿Para qué servía el amor por Isabel si sus aparentes ansias de poder le estaban licuando el cerebro?

Sentía vergüenza ajena.

Comprendí que yo no era la única que se sentía así cuando vi aparecer lágrimas de furia en el rostro de Isabel. Aquella dulzura que la envolvía asiduamente desapareció para dar paso a una rabia por pocos notada antes en su rostro.

El temor que sentía ante la partida de Carlos se unía al

terror que le producía ver a su marido enfrentado a la Iglesia, como si ésta fuera un enemigo vulgar al que hay que allanar y someter sin respeto alguno.

Sin poder resistirlo más, Isabel se levantó, arrastrando con su crecida barriga plato y mantel.

La única en España que conocía ese lado escondido de Isabel era yo. Su genio podía permanecer aletargado durante meses, pero si algo creía injusto y se sentía impotente ante ello, reaccionaba sin contención.

Todos los asistentes palidecieron y Carlos enmudeció.

Temblando y enrojecida, después de tragar saliva, Isabel habló:

—Si no os quieren financiar la empresa será por miedo, pues lucháis en contra de nuestra Iglesia y su mayor representante en esta tierra. ¿O es que acaso no veis que el ejército de Borbón, deseoso de fortuna, expolia, roba y quema todo lo que a su paso encuentra?

De roja que estaba, Isabel palideció.

—Más parecen fugitivos de la justicia que soldados —prosiguió—. Sólo una cosa les excusa de su hacer, y son las penurias que pasaron. Aquéllas les convirtieron en lo que son hoy. ¡Vagabundos, ladrones y asesinos difíciles de contener!

De repente un vahído la envolvió y cayó sobre su silla. Sentada muy cerca de ella pude ver cómo su vientre se movía. Parecía que la criatura de sus entrañas salir quisiera.

Mi mente no pudo eludir el recuerdo de los gritos de mi madre, debidos al comportamiento de mi padre, la noche en que Carlos vino al mundo.

163

CAPÍTULO VEINTICUATRO

El repicar del agua contra los cristales marcaba el paso de los segundos en la noche de Valladolid.

Carlos había estado desgastanto la alfombra de la cámara de Isabel frente a su lecho desde la mañana.

Cada vez que el dolor la pinchaba, se le acercaba, retiraba el fino paño blanco que cubría su rostro y la besaba en la frente.

Cuando cesaba, regresaba a sus paseos dejando a las parteras y a las damas portuguesas con su ajetreado quehacer.

¡Qué diferencia con su propio nacimiento!

Su solicitud para con Isabel era digna de admiración, reflejo de un amor profundo, sorprendente en un hombre del común, y no digamos ya en un emperador.

¡Y pensar que hacía unos meses, en Granada, había estado a punto de provocarle un aborto con sus alardes!

Era esta unión de contradicciones lo que hacía entrañable a Carlos, cuyas grandes virtudes estaban a la altura de sus nada pequeños defectos.

Otra diferencia con su nacimiento: el recién nacido vino a luz fuerte.

Carlos, orgulloso, le tomó en brazos como hacían los romanos al reconocer a sus hijos y dijo:

—Dios nuestro Señor te haga un buen cristiano, te dé su gracia y te ilumine para el buen gobierno del reino que has de heredar.

Fue la única vez que le vi llorar de felicidad.

Prometió luego que los días sucesivos serían fastuosos, porque su mente comenzaba a tramar uno y otro divertimiento como si de un adolescente se tratara, en Flandes, para festejar el nacimiento de su heredero.

Y con una energía increíble, se puso manos a la obra.

Los mas íntimos de su corte aprovechamos su ocupación para tomarnos un pequeño descanso, después de la tensión que había significado el difícil parto de la reina.

Francisco de Borja miraba a Isabel demostrando a todos cuánto la apreciaba y admiraba; Garcilaso de la Vega recitaba sus últimos poemas, acompañado por las notas de un laúd. Carlos entró de repente en el salón.

Con los ojos enrojecidos se dirigió a los presentes.

—Con mi más profundo pesar he de comunicaros la noticia más denigrante que nunca ha recibido mi reino.

Como pidiendo perdón por anticipado, mirando a su mujer, continuó:

–Tenías razón, los soldados de Borbón sólo ansiaban saciar su sed y resarcirse de la escasez sufrida. Para ello no han encontrado mejor forma que entrar a saco en Roma.

Isabel, sobrecogida, se puso de pie y se acercó a su marido, quien, tomándola de la mano, prosiguió:

–Los lansquetes alemanes, sin jefe, libertinos, feroces y codiciosos, han degollado, violado, robado y saqueado sin importarles lo más mínimo edad, sexo, estado o clase, y casi siete mil romanos yacen muertos por todos los rincones de la ciudad.

Mi hermano pareció a punto de desplomarse, víctima de una congoja nada propia de su imperial persona.

–El Papa se ha refugiado en el castillo Sant' Angelo con algunos de sus cardenales. Las hordas más salvajes devastan los restos de vida que quedan, ensangrentando espadas sin descanso.

Isabel hizo el gesto de invitarlo a apoyarse en ella, pero él, con una sonrisa triste, se negó y siguió hablando.

–Los soldados, montados en jumentos, corren por las callejas haciendo mojigangas y bufonadas, vestidos con las ropas encarnadas del clero, hasta que hartos ya de lascivia, lujuria y vino, duermen en conventos hechos serrallos, pues incluso a sus moradoras expulsaron después de torturarlas.

Las lágrimas comenzaron a resbalar por las mejillas de Carlos.

Isabel lo guió hacia su cámara, dejándonos a todos su insondable amargura.

Pero, a pesar de su sincero dolor, el emperador aprovechó la ocasión en beneficio propio, obligando al Papa a cumplir con lo que él deseaba, antes de liberarlo, aun a riesgo de que toda la cristiandad se pusiera en su contra.

Al fin y al cabo, había conseguido indirectamente otra victoria en contra del rey de Francia, al cual demostraba que si incumplía su parte del trato esta vez se vería privado de la presencia de sus hijos, que seguían prisioneros en Madrid.

Incluso llegó a pensar en anular mi matrimonio, hasta asegurarse de que seguía valiendo como moneda de cambio.

En la situación en que me encontraba, esposa del mayor enemigo de mi hermano, con un matrimonio no consumado y madrastra de unos hijos prisioneros de su propio tío, poco podía hacer yo para aclarar mi situación.

De nada servía apelar a Carlos, que ahora atravesaba uno de los momentos de mayor conflicto interior sufridos jamás.

Quien lo conociera poco podía llegar a pensar que dentro de sí moraban dos hombres.

Uno escribía al pontífice, dándole el pésame y ofreciéndole su amistad, y, a petición de Isabel, suspendía los festejos por el nacimiento de Felipe, ordenaba el luto general, y que en todas las iglesias de sus dominios se hicieran rogativas hasta conseguir la libertad del Pastor.

El otro, se negaba a hablar siquiera de poner en libertad al Sumo Pontífice y dejaba que éste se pudriera de rabia en su prisión angélica.

168

CAPÍTULO VEINTICINCO

Carlos sostenía en brazos a Felipe. Con tanto despacho apenas disponía de tiempo para disfrutar de su heredero y era lógico que no le gustara que le molestaran en momentos como esos. Pero las noticias eran demasiado importantes para esperar.

Isabel ni siquiera notó mi presencia, atenta como estaba observando a los dos varones que más quería de esta tierra. Sabía tan bien como su marido que éste, tarde o temprano, tendría que partir, y que tanto padre como hijo no podrían compartir aquellos afectos.

Embarazada de nuevo afrontaba el destino con una fortaleza admirable, pero la melancolía que cualquier madre siente al pensar en sus hijos carentes de padre ya se notaba en su rostro.

En cambio Carlos, al verme, dejó a su hijo en el suelo y le dio un cariñoso azote en el trasero; Felipe, patizambo, corrió en dirección a las caballerizas.

–¿Qué ocurre? –preguntó mi hermano, algo disgustado pero al mismo tiempo agradecido, pues la vitalidad del niño ya le estaba cansando.

–El deseo de que Madrid se convierta en la prisión de todos vuestros enemigos se ha visto frustrado. Si pensabais traer también a Clemente, ya podéis olvidarlo.

–Tenéis la rara habilidad de transmitirme cualquier cosa haciendo un reproche. ¡No abuséis de vuestra condición! –se enfadó Carlos.

Apenas le hice caso.

La verdad es que ya no toleraba con la mansedumbre habitual la falta de respeto con la que mi hermano se dirigía a mí en algunas ocasiones. Antes, aguantaba resignada la de cal esperando recibir, encantada, la de arena. Ahora que sabía que definitivamente nos separaríamos, mi ánimo estaba viciado de angustia y aquello se reflejaba en mi humor.

Llevaba más de un año casada, me sentía sola y sobre todo desconcertada.

Mis hijastros seguían presos. Embajadores ingleses y franceses se hallaban en Madrid negociando su ansiada libertad, sin llegar a ninguna decisión.

Francisco continuaba haciendo de las suyas; la última había sido pactar con Enrique de Inglaterra, antiguo aliado de Carlos.

Con frialdad no exenta de cierto regusto de placer –él me lo había enseñado–, le dije a Carlos:

–Clemente escapó del castillo de Sant' Angelo disfrazado de mercader, aprovechando la oscuridad de la noche. Según he oído decir fue ayudado por uno de sus carceleros, cruzó tranquilamente a pie los jardines y salió por las puertas del Vaticano sin ningún esfuerzo.

Carlos no se mostró sorprendido como yo esperaba.

Impávido, preguntó:

—¿Y has oído decir también adónde fue?

—A Orvieto, al campo de los aliados de Francisco, a quien solicitó la retirada de sus ejércitos de las tierras pertenecientes a la Iglesia, con la esperanza de que vos actuéis del mismo modo y la paz retorne.

Mi hermano quedó pensativo y por fin contestó:

—Si el problema que impulsa todo esto es el cautiverio de los hijos de Francisco accederé, con tal de que paguen el rescate y restituyan todos los territorios que en Italia nos han arrebatado últimamente. Francisco no podrá negarse a ello si quiere verlos pronto. Y así vos también podréis partir de una vez.

La frialdad de sus últimas palabras ya no me dolieron.

Busqué una mirada cálida en Isabel, pero me pareció que ella estaba de acuerdo con la decisión de su esposo, por lo que me retiré de la sala y no volví a ver a mi hermano hasta que comenzaron los trámites.

Si se llegaba por fin a un acuerdo, me dijo él entonces, partiría en la misma comitiva que los príncipes franceses.

Me sentía confusa, dividida interiormente.

Odiaba a Francisco por ser el enemigo constante de Carlos, pero al mismo tiempo me atraía la idea de alejarme del emperador, para quien yo parecía haber perdido cualquier importancia que no fuera la de una simple pieza en su ajedrez dinástico.

171

Aquellos sentimientos se convirtieron en mi mayor secreto. Ni siquiera a Isabel podía confiárselos, pues, de enterarse, Carlos no hubiese cabido en sí del enojo.

Me encontraba inútil en mi propia corte.

Casada como estaba seguía viviendo como viuda, mientras mi ya escasa juventud se ahogaba en el río de los treinta años.

Una noche desperté entre sudores y vi claramente que mi única salida era consumar mi matrimonio.

Prefería ser una esposa condenada al espionaje, porque a eso me mandaba Carlos a Francia, que seguir manteniendo aquel eterno noviazgo.

En un rapto de realismo comprendí que la amistad entre Carlos y Francisco nunca existiría. Los soberanos más grandes de los dos estados más importantes de Europa nacieron enfrentados y así morirían.

Subyugada por el sentimiento hacia uno y por la ley de Dios hacia otro, a mí, humilde servidora, me tocaría luchar el resto de mis días para mantener el diálogo y la paz entre ambos.

CAPÍTULO VEINTISÉIS

Empezaba a aceptar mi destino con resignación cuando me tocó ser testigo de una sobrecogedora discusión entre Isabel y Carlos. La razón: haber decidido éste de improviso marchar a Italia.

Como le faltaba poco para parir, Isabel no quería quedarse sola. De pronto, era ella la primera sorprendida de que el inquieto ánimo de Carlos hubiese aguantado tanto tiempo anclado en España.

—Prometedme al menos que regresaréis en cuanto os sea posible —le rogó.

Carlos la miró sorprendido.

Sin llegar a intuir la verdadera congoja en la que Isabel estaba inmersa, a mi hermano le disgustó su actitud, aparentemente sumisa y débil. De ser así, una mentira caritativa de las suyas hubiese evitado el trance.

Prefirió ser sincero a su manera.

—Sabéis que he de pactar con Clemente y eso nos llevará cierto tiempo. Para que aceptéis con resignación mi partida os diré que, después de mucho pensarlo, he decidido restituirle todas sus tierras, pues no quiero que la cristiandad esté en mi contra.

Carlos omitió decirle que también marchaba a Italia a pactar el casamiento de Margarita, su hija natural, con un sobrino del Papa, el cual, nacido de los riquísimos banqueros Medici, no solo garantizaba a la descendencia una importante alianza política sino también económica.

—Explicadme algo que no alcanzo a entender —dijo Isabel—. Casi siempre habéis conseguido vuestras mayores victorias sin encontraros en el lugar de donde provenían. Tenéis los mejores diplomáticos, consejeros y generales. ¿Por qué justo ahora no pueden actuar en vuestro nombre si lo hicieron bien en momentos mucho más cruciales?

Carlos observaba a su mujer como desde dentro de una de sus armaduras, con yelmo incluido, su compasión mermada por la fuerza de sus resoluciones.

Como a mí me sucediera antes, a Isabel le costaba comprender que cuando él estaba decidido a cumplir con un proyecto, era muy difícil que lo desechara sin una razón de peso.

—¿Queréis que me acalore? —dijo, tal vez tomando lo de sus «victorias a distancia» como un reproche—. Valencia me espera para jurarme la fidelidad consabida. Llevan años aguardándome y no pienso defraudarles en esta ocasión. En hora estamos de que conozcan a su emperador.

Parpadeó.

Quizá decidió entonces que los valencianos se quedarían con las ganas, pues ya había dado orden de que desde Barcelona y no de Alicante marcharía a Italia, aunque calló.

Isabel, cabizbaja, me miró de reojo.

—Me parece que no hay nada que hacer –le respondí con un gesto.

Su mirada se tornó vidriosa.

Después de presenciar cómo juraban en Madrid a Felipe, reconocido como Príncipe de Asturias y sucesor a la corona, Carlos partió. Durante su ausencia, puesto que nuestra madre permanecía recluida en su soledad, Isabel se convertiría en regente.

La emperatriz dio a luz una niña pocos días antes de que el emperador iniciase su largo viaje a Italia desde Barcelona. Pero Carlos, ocupado en los preparativos, no pudo darle el aliento de la primera vez.

Aquello sin duda repercutió en la salud de la reina, porque las fiebres de los días que siguieron nos hicieron temer por su vida.

Isabel deliraba llamando a su marido, convencida de que la muerte negra asolaba Génova, donde Carlos desembarcaría. Soñaba con inmensas ratas transmitiendo aquella fatal enfermedad a diestro y siniestro, asegurando al despertar que el emperador estaba enfermo.

Cuando las calenturas comenzaron a remitir y finalmente se repuso, Isabel albergaba aún la esperanza de que Carlos regresaría a conocer a su hija desde la Ciudad Condal.

175

En cambio yo estaba segura de lo contrario.

Junto a la emperatriz me mantuve en todo momento, entristecida al sospechar que ni siquera antes de partir Carlos tomaría alguna decisión sobre mi persona. Me tocaría quedar relegada a la eterna espera de un acuerdo, para cumplir con mi deber de esposa.

Carlos, apenas recibida la noticia del nacimiento de su hija, se hizo a la mar desde el puerto de Barcelona, con su fastuosa armada, compuesta de treinta y una galeras y otras treinta naves menores, ocho mil soldados con otros tantos grandes caballeros a la cabeza, servidumbre, impedimenta y viáticos cuyos costes mucho menguaron las arcas.

En ningún mensaje o carta hizo alusión de mi traslado a Francia, resuelto como estaba a desempolvar su espada por primera vez desde que regresó a España.

Aquellos sueños de batalla que tanto le alteraban en su juventud habían regresado. Ya no tendría que enterarse por medio de mensajeros y cronistas de sus éxitos. Los viviría en primera línea y no necesitaría de maquetas para poder sentir el ardor y la furia que de la lucha verdadera emanan.

CAPÍTULO VEINTISIETE

Mi destino al fin esclarecido, aquel temor que sentí la vez que me desposaron con el de Portugal no me afligió. Sabía a lo que me enfrentaba y ni la más leve incertidumbre asomó en mi semblante.

Ejercer como una simple dama de la emperatriz ya no me llenaba en absoluto. Y casi no me importó partir como lo hacen las reses al matadero.

Mientras mi comitiva se alejaba, numerosos pensamientos y recuerdos se agolpaban en mi mente.

Estaba segura de ser innecesaria en Castilla.

Isabel sabía cómo gobernar y allí se encontraba gracias a mí.

Carlos ya tenía heredero. Defensor de sus convicciones, podía jugar su papel solo y sin necesidad de apoyo o directriz. Aquella inseguridad y miedo a la toma de resoluciones que tantos años le asustaron, había sido definitivamente superada.

Al pasar por Tordesillas quise despedirme de mi madre. Igual que las veces anteriores, sentí como si el tiempo no hubiese transcurrido en aquella estancia.

Ni siquiera la ausencia de Catalina, casada con mi antiguo hijastro, el nuevo rey de Portugal, parecía haber perturbado a mi madre en demasía.

Junto a ella me quedé toda una tarde hasta el crepúsculo para reemprender la marcha a la mañana siguiente.

Por el camino, unos miembros del séquito se pusieron a comentar en voz alta las aventuras amorosas de Francisco, incluidas las enfermedades que de ellas derivaban.

Pero aquello no me afectó. Ya sabía cómo era, y no pretendía que el rey me guardara la misma fidelidad que Carlos guardaba a Isabel. Nuestro desposorio no se había hecho por amor sino por servir al emperador. Por ello Francisco era libre de galanteos; lo único que le pediría sería el respeto debido a mi persona.

A la distancia, como mujer, no podía dejar de sentir admiración por mi hermano en cuanto marido. A pesar de sus contradicciones y momentáneas frialdades, que yo sepa, nunca había tenido ningún tipo de desliz amoroso desde que se casara.

Nos encontrábamos a diez leguas de nuestro destino fronterizo, cuando los soldados tuvieron que desprenderse de sus armas. La desconfianza entre las dos partes era tanta que acordaron hacer lo mismo los franceses y así avanzamos hacia el río.

Dos gabarras exactas aguardaban en cada orilla. La de Hendaya portaba el dinero y la de Fuenterrabía nuestros cansados cuerpos.

Alzándome el sayo subí pausadamente, como si quisiera parar el tiempo.

Bogando al compás y con el mismo número de remeros que la barca cargada de ducados, nos dirigíamos hacia el portón que en medio del río había y donde se haría el canje. Los hijos de Francisco por las cuantiosas monedas.

Al volver mi mirada hacia atrás, vi al representante del emperador. Apostado en un asiento a la orilla seguía la operación con atención para que no se produjera ningún inconveniente. Sería el último caballero castellano que vería en mucho tiempo.

Me sentí triste y vacía.

No se pagaba por mí precio alguno, pero el canje me incluía.

Al pasar el portón de Hendaya salvas y trompetas comenzaron a sonar dándonos la bienvenida.

Una vez en tierras francesas partimos hacia Burdeos, donde Francisco me esperaba.

Poco después de nuestra llegada a París recibí una breve nota de mi hermano.

Estaba fechada en Bolonia.

«Estimada Leonor, sé de vuestra partida y orgulloso estoy de vuestro desvelo. Mirad por lo positivo y eludid lo que más pueda alterar vuestro ánimo, porque nadie osará haceros mal alguno ahora que estoy en la cumbre, al haber sido coronado emperador por el mismísimo Papa.

»El recibimiento fue fastuoso, a pesar de que todos me esperaban con recelo. Aguardaban al hombre soberbio y cruel que mandó asolar sus tierras. ¿Cómo demostrarles que no soy así? ¡Me gustaría que estuvierais aquí para decirles como realmente soy!

»Pero Dios me ayuda. Es la primera vez en mi vida que el acceder y restituir me serena, sin codicia y temor a mirar lo perdido.»

Me alegré en mi corazón e imaginé que, después de haber besado humildemente el pie del mismo pontífice que mantuvo encarcelado, subido al trono desde lo más alto, debió de sentirse «como un Dios» lleno de fuerza para luchar a favor de la «Europa cristiana», que quedaba unida bajo su cetro.

Estoy segura de que su fuerte idealismo debió de hacerle creer, por unos instantes, que mi esposo, la herejía luterana y el infiel habían de ceder subyugados por la nobleza espiritual de su gran empresa.

CAPÍTULO VEINTIOCHO

Nuestro séquito cruzaba los bosques cuajados de vegetación. Mi mirada buscaba desesperadamente un claro en el camino.

Los hijos de Francisco cabalgaban a mi lado a paso ligero y el traqueteo de las ruedas al chocar con las piedras del camino se hacía insoportable.

No pude evitar el recordar un viaje parecido pero en dirección contraria. Esta vez, al menos, la labor a la que encomendé mi vida por fin rendía los frutos ansiados: sellar la paz entre mi hermano y mi marido.

Como Francisco recaía continuamente a causa de su enfermedad, yo dispondría del tiempo necesario para expresar a Carlos mi pésame, sin interrupciones. Así le otorgaría el cariño y afecto del que se vio privado debido a la muerte de Isabel.

Los árboles por fin se abrieron permitiendo que el sol nos iluminase.

A lo lejos, mi hermano posaba el pie derecho sobre territorio francés sin titubear.

Bajé de mi carruaje y monté un corcel, para acudir galopando a su encuentro.

El delfín me siguió junto a su hermano dejando atrás a la guardia. Ajenos al sentimiento que me embargaba, se adelantaron y ya estaban hablando con Carlos cuando llegué a su lado.

Mi hermano sonrió al verme.

Por fin se apartaron los príncipes franceses y Carlos se dirigió hacia mí. Cogiéndome de la cintura me ayudó a desmontar, pero tropezó torpemente y a punto estuvimos de caer los dos.

Sus fornidos brazos ya no eran los mismos. Sus ojos eran incapaces de expresar la alegría que mostraron en otros reencuentros.

Estaba demacrado. Su prominente mandíbula parecía haberse forjado con un pedazo de bronce sobrante de alguna de sus armaduras. La herencia española era evidente en sus rasgos.

Aquel reino tan lejano que en nuestra niñez imaginábamos a medio camino entre las tierras cristianas y la de los moros, sin duda lo había transformado en lo que era.

Lo seguí hasta su tienda.

Acarreaba su pesadumbre en silencio. La gota sin duda era inflexible en su avance, pero en nada superaba a la tristeza que se adhería a su piel como la uña al dedo.

Nada más entrar, me aferré a él.

Apartándose, por fin me habló.

–No digáis nada. Sé que os hubiese gustado estar a su lado, al igual que a mí. Pero nuestros deberes nos lo impidieron y ella con seguridad lo comprendió.

Se dirigió hacia una mesa de campaña.

Escanció vino, lo bebió de un trago sin saborearlo ni gozarlo, llenó de nuevo la copa, cogió otra para mí y me la tendió.

Intenté contener las lágrimas.

Carlos me levantó la barbilla y enjugó mis mejillas.

Sonreí.

–Lo siento. Si nuestra madre me viera la reprimenda sería sonada. Creí haber aprendido a controlar la emoción, pero supongo que la edad abre una gran ventana a este defecto y las fuerzas fallan.

–En mi caso sólo hay una cosa que no logro controlar. Ver en sueños la cara de Barbarroja. Aquel pirata no fue nunca merecedor del sacrificio que el combatirlo me ocasionó: ¡Estar lejos de mi amada Isabel en su último momento! –dijo Carlos. Y luego continuó–: ¡Nunca más me desposaré con otra mujer!

Como muchas veces a lo largo de nuestra juventud, me senté a su lado y acaricié su cabeza, ahora canosa y ligeramente despoblada.

Sólo fui capaz de balbucear:

–Lo que Dios ha unido en el cielo, que no lo separe el hombre en la tierra. Pues en nuestros pensamientos quedó anclada aquella gentil mujer que consiguió transformaros en un verdadero emperador, dándoos la felicidad.

183

Con la mirada fija en el techo de su tienda, Carlos contestó:

–Tenéis razón, mi querida Leonor. Vos me la presentasteis una vez como la mejor candidata para un gobernante y ella se encargó de demostrar que no os equivocasteis. Pero si he de ser sincero creo que fui necio, pues sólo cuando la perdí supe valorarla.

»La imagen que guardo de ella es la de Granada. Aunque su majestuosidad y belleza superaban con creces a la Alhambra que tanto amaba.

Carlos empezaba a recuperarse y quise animarlo diciéndole que debía transmitir a sus hijos el gran amor que sentía por ella.

–¡Pero es precisamente Felipe el que me preocupa! –exclamó entonces–. A los doce años su frialdad es tal que sorprende, y mucho más ahora que su madre anda a la vera de Dios.

Calló un instante y me dio la impresión de que no le gustaba rememorar, pero luego continuó.

–Cuando murió Isabel, me faltaron las fuerzas para seguirla hasta su enterramiento en Granada. Siempre había pensado que la enfermedad de nuestra madre se debía en gran parte al hecho de haber prolongado su sufrimiento durante tantos días junto al féretro de nuestro padre. Así que me retiré al monasterio de los Jerónimos y ordené a Francisco de Borja que se ocupase del entierro. Felipe acompañó al cortejo fúnebre sin titubeos.

Carlos se detuvo un instante. No alcanzaba a comprender qué había de malo en lo que mi hermano acababa de decir.

184

–El viaje fue largo y la calurosa primavera los asaltó –prosiguió–. Tanto calor hacía que, llegados al panteón, destapado el féretro, Borja no pudo asegurar que la que allí yacía fuera Isabel, aunque él fuese quien la colocara en aquel lugar.

Carlos pasó de la tristeza al enojo.

–Pues bien, a pesar del estado del cuerpo de su madre, vuestro sobrino, impávido y sin pestañear, ¡no derramó una sola lágrima!

–Quizá se debió a que era consciente de que allí ya no moraba su alma. Hace bien en no demostrar la debilidad ante otros y orgulloso habéis de estar de ello, pues vuestro sucesor parece haber aprendido con rapidez a esconder lo que siente en realidad.

–Dime, hermana, ¿para qué sirve ser emperador y dueño de tantas tierras si no podemos mostrarnos tal como somos?

Quise cambiar de conversación, pues no soportaba ver a mi hermano derrotado. Pero no pude evitar pensar cómo pretendía, en ese estado, que se mantuviera la unión de la cristiandad.

Para animarlo le dije que, a pesar de todos los problemas en el norte, Francisco le era fiel.

–Ha desechado a los ganteses los ofrecimientos que le hicieron, a cambio de la lucha en vuestra contra –agregué, para confirmar mis palabras.

Carlos no pareció sorprendido.

De la tristeza pasó a la lucidez.

–Lo sé. Ya hace días que me envió las cartas originales

de proposición. Pero no os dejéis cegar, pues es posible que prefiera Milán a Flandes.

—¿Se lo entregarás? —dije, más como hermana que como reina de Francia.

—Ya se verá.

Jugaba con su anillo.

Aquel gesto demostraba una negativa segura. Pero no se lo reprocharía, pues no era ni la primera ni la última vez que ofrecía algo sin intención de otorgar.

El anillo cayó. Me agaché, lo recogí y se lo tendí.

—Vuestro es Leonor.

Con una leve reverencia, lo agradecí.

Esa noche rogué a Dios que mantuviese la paz entre Carlos y Francisco, entre el Imperio y Francia. No queriendo retirarme a dormir inmediatamente, salí a dar un paseo en compañía de una de mis damas.

De repente, mi mirada se centró en una sombra cercana a un árbol que la luna iluminaba. La persona que la producía llevaba un cuello de piel sobre el abrigado sayo, que le tapaba medio rostro, pero aun así la reconocí.

Sin poder evitarlo conté con los dedos.

Aquel hombre superaba ¡la centena!

El que nos deleitara con sus predicciones astrológicas, ahora casi íntegramente cumplidas, advirtió la atención que puse en él. Y después de una breve y solemne inclinación de cabeza, desapareció.

Empezaba a arreciar el frío. Hice una señal a mi dama para que me trajera la capa. Me hubiese gustado preguntar al hombre de las estrellas sobre el futuro.

¿Cuándo se rompería de nuevo la paz?

Quizá nadie lo sabía, pero de lo que estaba segura era de que mi marido y mi hermano eran diferentes en todo menos en una cosa.

Ambos necesitaban un eterno contrincante con quien medir fuerza y poder. Y entre los dos, siempre habría una mujer que disipara sus diferencias.